JE SUIS NÉE AU HAREM

Jocelyne Beauchemin Allard

450-687-0656
514-941-9546

CHOGA REGINA EGBEME

JE SUIS NÉE AU HAREM

Récit présenté par
Calixthe Beyala

traduit de l'allemand
par Jacques-André Trine

l'Archipel

Ce livre a été publié sous le titre
Hinter goldenen Gittern
par Econ Ullstein, Munich, 2001.

Si vous souhaitez recevoir notre catalogue
et être tenu au courant de nos publications,
envoyez vos nom et adresse, en citant ce
livre, aux Éditions de l'Archipel,
34, rue des Bourdonnais, 75001 Paris.
Et, pour le Canada, à
Édipresse Inc., 945, avenue Beaumont,
Montréal, Québec, H3N 1W3.

ISBN 2-84187-472-9

Préface

Quelle sera la destinée de l'Afrique, déchirée entre modernité et tradition ? D'emblée, la lecture de *Je suis née au harem* nous interroge sur ce continent qui a, dit-on, la tête dans le troisième millénaire alors que ses pieds restent désespérément enracinés dans le passé.

Les femmes sont sans conteste les premières victimes de cette contradiction. De fait, si nos intellectuels rêvent de moderniser cette terre, de la doter des moyens de communication les plus modernes, d'y instaurer la démocratie, rien n'oblige les peuples à respecter les droits de la femme.

Le continent noir, ancré dans des temps archaïques, résonne des cris de souffrance des femmes, soumises aux caprices des hommes.

En Afrique, on a beau le nier, il y a d'un côté les mâles, puissants, sains, qui représentent la perfection et peuvent en toute impunité distiller la mort en violant nos filles. De l'autre, les femmes, à qui l'on apprend très tôt à obéir. On les appelle *reines* ou *princesses.* Certaines sont si fières de ces titres de pacotille qu'elles consentent avec joie à vivre enfermées, dépendantes. Elles proclament à qui veut les entendre qu'elles sont heureuses dans ces harems où leurs filles ne sont pas scolarisées, seulement éduquées en vue de servir, de se soumettre aux désirs patriarcaux, comme leurs grand-mères avant elles.

Aux femmes noires, on apprend à accepter l'inacceptable. L'amour ? Il n'en existe pas d'autre que celui que vous portez à vos parents. Le plaisir sexuel ? Mais c'est indécent ! Une connerie inventée par les Blancs. Notre corps ? Extraordinaire pour porter les bébés... Nos mâles doivent pouvoir disposer de nos ventres et de nos sexes ; ils peuvent nous échanger, nous vendre, nous meurtrir... Et lorsque, de temps à autre, s'élèvent de longues plaintes émanant de femmes victimes de mutilations ou d'un mariage forcé, les hommes y font écho avec perfidie : « Ne les écoutez pas ! Ce sont des complices de l'Occident, qui veulent mettre à bas nos valeurs. »

Sur cette terre africaine, nous ne sommes que des femmes, et les combats féministes qui ont secoué le monde semblent avoir été balayés par l'harmattan aux abords du Sahel.

Aussi, lorsque Choga Regina décrit avec ses mots sa vie de femme africaine, apparaît l'image d'un ange déchu, ou celle d'une princesse solitaire, rêvant au bord d'un lac à une vie autre, qu'elle ne peut pourtant imaginer.

Comme elle, de N'Djaména ou de Dakar, de Tombouctou ou de Lagos, des milliers d'Africaines acceptent d'être enfermées dans des harems, convaincues qu'à l'abri des murs hérissés de barbelés elles seront préservées du danger. Elles n'oublient qu'un fait, essentiel : une prison, même dorée, reste une prison.

Comme Choga, des milliers d'entre nous acquiescent, silencieuses, aux mariages forcés et à leur corollaire de souffrance, persuadées qu'elles ne pourraient agir autrement, qu'une fille ayant désobéi à ses parents est vouée aux enfers. De même, nombre de familles consentent à donner leur fille à quelque riche Africain, déjà « propriétaire » de plusieurs femmes, afin de lui faire accéder à un statut social plus élevé.

Et voilà nos *queens*, comme elles aiment à s'autoproclamer, vivant dans cette promiscuité malsaine des harems. Des bagarres explosent quelquefois. Certaines femmes sont défigurées. D'autres sont tuées. Leurs enfants subissent le même sort, sans que les pouvoirs publics interviennent. Il faut le comprendre, sans évidemment l'accepter : le propriétaire du harem est un roi. Il en possède les prérogatives : il a droit de vie et de mort sur ses sujets.

Les justices nationales ne peuvent – ou ne veulent – lutter contre ces abus. Parce qu'elles sont masculines. Très peu de femmes occupent des postes à responsabilité. Celles qui tentent de porter plainte pour coups et blessures sont déboutées, de manière quasi systématique.

Jamais je n'ai perçu avec autant d'acuité la souffrance de la femme noire qu'en lisant le témoignage de Choga, cette femme qui, comme des milliers d'entre nous, est atteinte du sida, après avoir été contaminée par un mari versatile, infidèle et agressif.

Moi, femme africaine, je m'interroge sur les motivations de certaines Occidentales qui, pourtant au fait des combats féministes, font le choix de la polygamie. La mère allemande de Choga en est le parfait exemple. Comment expliquer cette attirance pour l'univers oppressant d'un harem ? Sont-elles à ce point mal dans leur peau, anxieuses, peu sûres d'elles-mêmes et de leurs croyances ? Fuient-elles l'égoïsme et la solitude des sociétés occidentales pour retrouver dans ces lieux fermés la solidarité entre femmes, l'entraide mutuelle ?

Sans doute faut-il un peu de tout cela pour que, par inconscience, un être plonge dans un univers à ce point éloigné de son milieu originel. À moins qu'il ne s'agisse d'une quête effrénée d'exotisme, qui gomme la véritable personnalité de ces Occidentales et les conduise à renier tout ce à quoi, petites filles, elles aspiraient...

Le lecteur sera sans doute stupéfait par l'étrangeté de cette démarche, qui représente un danger pour toutes les femmes du continent. À chaque soleil, malgré les vicissitudes, nous essayons de gagner un peu de liberté, un brin d'égalité. À chaque lune, nos hommes d'Afrique – cette Afrique perdue entre ses immenses forêts et ses étendues désertiques – rétorquent : « Qui es-tu, toi, pour contester la polygamie ? Même les femmes blanches adorent ça ! »

Il ne semble pas proche le jour où la femme sera un Homme comme un autre.

Calixthe BEYALA

Avant-propos

J'ai vingt-cinq ans et mon fils, Joshua, en a presque six. Pour l'heure, nous nous portons plutôt bien. Nous espérons que la maladie se déclarera le plus tard possible. Les traitements de la médecine occidentale étant au-dessus de nos moyens, j'ai recours à des remèdes naturels hérités de notre savoir ancestral. Chaque matin, je me réveille en sachant que je risque de tout perdre : mon fils, ma propre vie. L'idée que je puisse ne pas voir mon petit Josh grandir, ne jamais tenir ses enfants dans mes bras, la perspective qu'un jour ou l'autre le fil invisible, fait d'amour et d'expériences vécues, qui relie les générations se rompe m'emplit d'une tristesse infinie.

Pendant que j'étais enceinte de Joshua, mon amie Amara, que j'aime comme une mère, m'a suggéré de consigner mon histoire par écrit pour m'aider à surmonter toutes les horreurs qui me sont arrivées. Il y a un peu plus d'un an, j'ai rencontré pour la première fois ma demi-sœur allemande, Magdalena. Lorsque je lui ai parlé des notes que j'avais prises, elle m'a encouragée à achever mon travail.

Afin de préserver la tranquillité de mon fils, je n'ai toutefois autorisé la publication de mon manuscrit qu'à la condition que le nom de tous les protagonistes (y compris le mien), ainsi que certaines informations permettant de les identifier, soient modifiés.

Que tous ceux qui ont permis à ce livre de voir le jour soient ici remerciés. Sans leur aide, Joshua et moi ne serions aujourd'hui plus de ce monde.

Dieu les protège et les bénisse.

Jeba, mai 2001
Choga Regina EGBEME

1
La sœur inconnue

Au harem, sur la table de nuit de ma mère, trônait en permanence la photo d'une petite fille de dix ans. Ce portrait, que maman astiquait avec un soin méticuleux, m'a suivi pendant toute ma jeunesse.

— C'est ta sœur, m'avait-elle un jour appris. Tu peux être fière d'elle.

Les cheveux blonds de Magdalena étaient ornés d'une couronne de fleurs blanches. Des marguerites, m'expliqua ma mère, une variété qui, l'été, en Allemagne, fleurissait en bordure des champs et dans les prés.

Souvent je m'imaginais Magdalena courant sur l'herbe verte et cueillant des marguerites. Il m'est même arrivé de rêver d'elle. J'essayais de l'attraper mais elle était bien plus rapide que moi. Mon désir le plus cher était de faire sa connaissance, de rencontrer enfin cette sœur allemande qui, pour moi, avait toujours été la petite fille de la prairie.

Un jour, une lettre d'elle nous est parvenue. Magdalena avait franchi le pas et décidé de nous rendre visite. Elle avait joint une photo à son courrier. En la regardant, je découvris une parfaite inconnue. L'enfant aux yeux bleus pleins de curiosité et aux boucles blondes qui lui tombaient délicatement sur les épaules s'était transformée en une femme aux cheveux châtains coupés courts, qui me dévisageait d'un air songeur à travers des lunettes à la monture sévère. Elle avait quarante et un ans et était devenue enseignante. L'angoisse me saisit. Pour la première fois, je venais de réaliser qu'une bonne partie de ma vie était déjà derrière moi : ma propre jeunesse, mon insouciance et même certains de mes espoirs.

Amara, l'amie de ma mère, m'accompagna à l'aéroport. Nous étions un vendredi saint. Autour de moi les enfants chahutaient, les femmes riaient et les hommes se saluaient avec effusion. Tous ces gens avaient l'air si heureux, comme s'ils venaient de recevoir un cadeau exceptionnel. Et moi je me retrouvais au milieu d'eux, la gorge nouée, tenaillée par la soif et un mal de tête lancinant. Les battements de mon cœur résonnaient dans ma poitrine et je transpirais. Jetant sans arrêt des coups d'œil au cliché que je tenais dans mes mains moites, je sondais la foule que charriait le hall des arrivées. Enfin libérés après huit heures de vol, les voyageurs, radieux, se précipitaient dans les bras de leurs parents ou amis.

En réalité, je n'avais nul besoin de la photo pour reconnaître Magdalena. À cause de ses yeux. C'étaient ceux de maman. Elle aussi avait toujours eu cet air un peu inquisiteur. Comme si elle cherchait à tout savoir dans les moindres détails ou à vérifier que l'on était bien intentionné à son égard. Parfois, son regard trahissait également une certaine appréhension.

Amara m'avait éclairée sur ce point : « Les gens ne savent même pas qu'ils la portent en eux. Mais moi je la vois. C'est la crainte de ceux qui ont essuyé une perte dont ils ne parviennent pas à se remettre. Elle se lit sur leur visage et trahit leur angoisse de devoir affronter de nouveau une telle épreuve. »

À présent, je suis moi aussi en mesure de la reconnaître, cette peur. On la décèle chez de très nombreuses personnes, Magdalena comprise. Peut-être est-elle d'ailleurs visible dans mon propre regard, mais je ne peux bien entendu en juger.

Au milieu de cette foule d'inconnus, Magdalena ne me cherchait pas moi, mais notre mère. Aussi me croisa-t-elle sans me voir. À son passage, je sentis les effluves de son parfum et le tissu léger de ses vêtements effleura ma main. Bien que toute proche, elle me semblait plus lointaine que jamais. Une pensée triviale me traversa alors l'esprit : comment allais-je m'adresser à elle ? Pouvais-je d'emblée la tutoyer ? J'en avais subitement perdu tout mon allemand. Mon cerveau était vide, tandis que mon cœur débordait.

Amara, qui avait le don de ressentir les affinités entre les êtres, n'hésita pas un instant et s'avança vers elle.

— *Welcome to Nigeria,* Magdalena ! s'exclama-t-elle.

Quant à moi, je restai plantée là, comme une imbécile, un peu à l'écart, déportée sur le côté par le flot des touristes. Et dire que, pour la circonstance, j'avais mis de vraies chaussures ! Pourtant, je n'ai pas l'habitude d'en porter. Perdue dans mes pensées, je me fis soudain bousculer et tombai. Magdalena baissa les yeux et m'aperçut, immobile et pétrifiée dans ma jolie robe blanche. À ce moment-là, j'eus l'impression d'être redevenue une petite fille.

La façon dont elle me regarda ! Cette expression d'intense compassion, la même qu'avait maman lorsqu'il m'était encore arrivé un accident idiot.

Dans ma chute, j'avais laissé échapper la photo. Magdalena déposa ses valises, s'accroupit et me tendit la main. Ce fut notre premier contact.

— Choga Regina ? prononça-t-elle en m'aidant à me relever.

Je hochai la tête en silence, les lèvres serrées. J'avais tellement honte de faire si mauvaise figure. Pour me racheter, je proposai de porter ses valises.

— Elles ne sont pas lourdes, protesta-t-elle.

Dès le début, elle s'adressa à moi en allemand. Comme maman l'avait toujours fait.

Les gens marchent-ils donc tous aussi vite en Allemagne ? me demandai-je. Il m'avait toujours semblé que maman courait lorsqu'elle revenait de son pays natal. De la même manière, je ne parvenais pas à suivre Magdalena. C'est à cause de mon problème à la jambe. Chez moi, tout prend un peu plus de temps. Y compris le moindre déplacement. C'est d'ailleurs pour ça que, le plus souvent, je marche pieds nus ; avec des chaussures, ma mobilité est réduite.

Bien qu'elle me précédât, je remarquai que Magdalena cherchait notre mère des yeux. Mais ce n'est qu'en arrivant à la voiture qu'elle posa la question que nous redoutions tant.

— Maman n'est pas venue ?

Je n'avais toujours pas ouvert la bouche. Le regard de Magdalena se posa sur Amara, puis sur moi, puis de nouveau sur Amara.

— Que lui est-il arrivé ?

Elle posa ses valises et me scruta de nouveau, avec cette expression qui me faisait tant penser à ma mère. Une expression qui trahissait la même vulnérabilité et à laquelle je ne pouvais me dérober. Je savais que Magdalena allait souffrir mais, à cet instant, ma propre douleur était trop grande pour que je puisse lui venir en aide.

C'est alors qu'Amara eut ce geste merveilleux : elle écarta grand ses bras vigoureux et, avec la spontanéité qui était la sienne, nous attira l'une contre l'autre.

— Vous êtes sœurs, alors vous devez vous saluer comme des sœurs, lança-t-elle sur un ton enjoué en me bousculant légèrement.

Ce fut notre première embrassade. Magdalena en parut un peu gênée. D'abord elle ne bougea pas, puis je sentis ses mains dans mon dos, ce qui me donna la force de l'enlacer à mon tour. Nous étions là, silencieuses, et je souhaitais que cela ne finisse jamais.

Si je n'ai guère eu l'occasion de voyager dans mon existence, mes rares déplacements ont cependant toujours été liés à un espoir : celui de retrouver quelqu'un ou quelque chose qui me manquait. Magdalena avait fait un si long voyage. Pendant toutes ces années, elle avait rêvé de revoir notre mère. Et maintenant, alors qu'elle venait tout juste d'arriver, il me fallait lui annoncer que celle dont l'absence lui avait tant pesé était morte.

Magdalena était arrivée un jour trop tard. Le destin n'avait pas voulu que leurs retrouvailles aient lieu sur cette terre d'Afrique que ma mère avait tant aimée.

Dans le regard de ma sœur, l'appréhension céda la place à un vide insondable. Ses yeux me fixaient, mais c'était comme si je n'existais pas.

— Ce n'est pas possible, murmura-t-elle, incrédule, tout en secouant la tête.

À bout de forces, elle s'appuya sur la voiture d'Amara. J'en oubliai à mon tour l'agitation qui régnait autour de nous, tous ces gens bruyants et gais qui regagnaient leurs véhicules et s'éloignaient en klaxonnant. C'était comme s'il n'y avait plus que nous au monde. Deux sœurs qui se connaissaient à peine. Deux étrangères pourtant unies par un lien extrêmement fort, celui d'avoir la même mère. Bien qu'elle fût décédée, sa présence entre nous était presque palpable. Elle semblait vouloir que nos mains se joignent. En réalité, c'est Amara qui les réunit et, de nouveau, nous nous embrassâmes. Mais, cette fois-ci, notre étreinte n'eut rien d'une simple accolade et ce furent nos âmes qui fusionnèrent.

Depuis la mort de ma mère, je m'étais efforcée de refouler la douleur et n'avais cessé de penser à Magdalena, me persuadant que je devais être forte pour elle, pour l'aider à accepter l'inacceptable. Et voilà qu'à présent je partageais avec ma sœur le chagrin occasionné par cette blessure commune : la perte d'un être cher.

— J'ai l'impression qu'elle est là, parmi nous, dit Magdalena au bout d'un moment qui me parut durer une éternité, exprimant en cela tout ce que j'avais sur le cœur.

Je savais combien ma mère avait souhaité nous permettre de faire connaissance. Nous, ses deux filles si différentes. Je savais son espoir que notre rencontre éveillât en nous des sentiments profonds et durables.

Dans la croyance qui m'a été enseignée par les anciennes du harem durant les trois ans qui ont suivi la naissance de mon fils Joshua, il est dit que l'âme d'un homme poursuit son voyage sur terre une semaine après son trépas. Bien sûr, je ne pouvais pas l'expliquer à Magdalena, là, au beau milieu de l'aéroport, mais c'est exactement ce qui se passait : maman se servait des mains d'Amara pour nous unir, Magdalena et moi, pour toujours. La vieille femme, dans toute sa sagesse, le savait mieux que moi, et elle s'acquittait de sa mission en silence.

Une fois que nous nous fûmes détachées l'une de l'autre, Amara prit le volant et nous conduisit à travers la nuit de Lagos, ma ville natale tentaculaire. Assises côte à côte à l'arrière, Magdalena et moi ignorions les bruits et les lumières des rues, comme si nous étions ailleurs.

— Au fait, tu as des enfants ? lui demandai-je soudain, la tirant brusquement de ses pensées.

— Oui, une fille. Katharina. Elle a dix-neuf ans. Elle a passé son bac l'an dernier.

— Elle n'a pas voulu t'accompagner pour rencontrer sa grand-mère ?

Magdalena marqua un long silence, ce qui me laissa le temps d'en imaginer la raison : elle avait préféré d'abord se rendre compte par elle-même, voir comment sa mère vivait. Mais sa réponse fut toute différente.

— Depuis quelques mois, Katharina est fille au pair aux États-Unis.

Ce terme ne me disait rien et ma sœur dut m'expliquer ce que faisait ma nièce dans ce pays si lointain. Au passage, je remarquai que Magdalena ne portait pas d'alliance. Mais nous ne nous connaissions pas suffisamment et je n'osai l'interroger.

— Je suis divorcée, se contenta-t-elle de dire lorsqu'elle remarqua mon regard.

Ensuite, je lui racontai mon rêve, celui où, petite fille, j'essayais de l'attraper sans jamais y parvenir.

— Tu sais, j'ai longtemps ignoré ton existence, répondit-elle.

— Merci d'être venue, fis-je.

Ma sœur hocha la tête en silence. Elle se frotta les yeux. Je pense que nous éprouvions la même chose : cette douleur profonde qui naît du sentiment d'avoir été privé d'une partie de sa vie. Le temps perdu l'est pour toujours. Et il ne reste que les mots pour essayer de combler le vide.

2
La maison de mon enfance

Eu égard à la démesure de Lagos, une ville qui ne cesse de connaître une croissance exponentielle, le trajet pour aller de l'aéroport à la maison de mon père, située à Ikeja, était plutôt court. Au moment où Amara arrêta la voiture devant l'une des entrées secondaires dont j'avais la clé, Magdalena me jeta un regard stupéfait.

— Qu'est-ce que c'est que ce vacarme ? me demanda-t-elle.

De la musique et des éclats de voix résonnaient dans tout le voisinage ; le *compound* brillait de tous ses feux et son éclairage inondait les chemins environnants, par-dessus les murs d'enceinte pourtant hauts de plus de deux mètres.

Il était déjà près de dix heures du soir. Dans le *compound*, comme nous avions baptisé la salle principale du Harem, les femmes faisaient la fête. J'entendais le battement familier du grand tambour, celui, plus enlevé, du balafon (un xylophone en bois auquel sont accrochées des calebasses destinées à en amplifier le son), le tintement triomphant d'une cloche en métal appelée *cowbell*, ainsi que le timbre aérien de la flûte. De cet ensemble se détachaient de temps à autre des cris échangés entre les femmes.

Tout avait commencé à l'heure du déjeuner. Au petit matin, lorsque le générateur qui commandait les lumières extérieures et intérieures du harem s'éteindrait, on allumerait des lampes à pétrole et les festivités se poursuivraient. Pour ma part, je trouvais tout à fait naturel de célébrer ainsi la disparition d'un être cher.

Nous entrâmes dans la cour et nous retrouvâmes au milieu des quelque cent personnes venues rendre un dernier hommage à ma mère. Partout, de longues tables étaient dressées, sur lesquelles trônaient des mets savoureux. Un parfum d'ananas et de papaye bien mûrs, de mangue et de banane flottait dans l'air. À côté des cuisines, une broche tournante où rôtissait un agneau projetait dans l'atmosphère des gouttelettes d'une sauce piquante à l'arôme enivrant.

Ma sœur et moi fûmes accueillies à bras ouverts. On salua Magdalena avec effusion, puis on nous conduisit au centre de l'assemblée. Toutes ces femmes avaient connu ma mère, mais j'avais malheureusement, pour la plupart, oublié leur nom. Elles venaient de différents quartiers de Lagos, et parfois même de villes distantes de plus de cent kilomètres comme Ibadan ou Benin City.

— La mort de maman ne les rend pas tristes ? s'enquit Magdalena, étonnée. En Allemagne, les enterrements se passent dans le recueillement.

C'était là quelque chose que j'ignorais. Ou bien alors je l'avais évacué de mon esprit. À mon sens, quelle que soit la douleur que vous inspire la perte d'un être aimé, il faut au contraire se réjouir qu'il ait réussi à dépasser les souffrances de la vie terrestre et lui souhaiter le plus grand bonheur pour son existence future. De surcroît, la présence d'un si grand nombre d'amis réunis dans l'allégresse montre à quel point le mort était estimé. À en juger par les décibels qui accompagnaient ma mère dans son dernier voyage, celle-ci avait été plutôt appréciée...

— Pourquoi tout le monde est-il en blanc ? poursuivit Magdalena. Chez nous, les gens qui portent le deuil sont en noir.

Avec son petit pull gris et sa jupe assortie, ma sœur était en effet la seule à avoir des vêtements sombres et sa tenue tranchait avec celle des autres convives.

— À ton avis, quelle est la couleur de la résurrection ? rétorquai-je.

— De la résurrection ? répéta Magdalena, songeuse... Je dois reconnaître que c'est une belle idée.

Soudain, trois voix aiguës se détachèrent du brouhaha ambiant. Tout en tapant sur les tambours, les femmes se mirent à glousser comme des vierges effarouchées. Dès que le chant cessa, Magdalena me demanda de quoi il en retournait et je lui expliquai qu'il s'agissait d'un vieux refrain populaire de l'Est, qui décrivait la virilité débordante d'un homme puissant ayant beaucoup de femmes.

Ma sœur jeta autour d'elle un regard dubitatif.

— Alors c'est ça, le fameux harem ?

— Oui. C'est ici que je suis née, répondis-je. Si tu veux, je peux te faire visiter.

Magdalena acquiesça avec enthousiasme et nous déposâmes ses valises devant les appartements de ma mère, avant d'entamer le tour des nombreuses cours communicantes bordées de maisons de toutes tailles. Douze d'entre elles, dont certaines de construction moderne, en pierre et à plusieurs étages, étaient réservées aux femmes de mon père. Sans oublier celle des enfants où j'étais restée jusqu'aux premiers mois de mon « adolescence ».

Magdalena contempla avec intérêt les bâtisses les plus anciennes, faites de bois et d'argile et peintes en blanc. Je lui expliquai que, malgré les lourdes réparations qu'elles nécessitaient chaque année, on les avait conservées parce qu'elles avaient été édifiées par les premières épouses de mon père et, à ce titre, constituaient en quelque sorte les racines du harem.

— Figure-toi, ajoutai-je, que c'est là qu'il fait le moins chaud. Contrairement aux autres, plus récentes, il n'a même pas été nécessaire de les équiper de climatisation. Ce sont maman Patty et maman Felicitas, les deux plus vieilles femmes de papa, qui y habitent.

— Je suis impatiente de les rencontrer, dit Magdalena, avec une lueur de curiosité dans les yeux.

— Il y a aussi une grande maison commune où avait lieu tous les dimanches notre réunion de famille, poursuivis-je. Ainsi que les cuisines, les dépendances où est entreposé l'outillage ou encore les garages pour les voitures. Mon père en a toujours possédé plusieurs, et notamment des grosses qui contribuaient à sa réputation. Au Nigeria, on accorde beaucoup d'importance aux signes extérieurs de richesse, comme par exemple les bijoux pour hommes ou les montres en or.

— Ah bon. Et pourquoi ?

— C'est très simple. Aux yeux du commun des mortels, cela signifie que Dieu a accordé ses faveurs à celui qui les arbore.

Pour la première fois ce soir-là, tandis que la chaleur de la nuit s'emplissait du parfum capiteux des femmes, de la lourde senteur des fleurs et que bruissaient toutes ces conversations familières, je crus revivre certaines époques bénies de mon enfance. La fête d'adieu à ma mère me rappelait mes meilleurs souvenirs du harem. Tout se déroulait comme elle l'aurait souhaité et, à n'en pas douter, son âme se sentait très à l'aise parmi nous.

La visite que je fis en compagnie de Magdalena me ramena à la maison où j'avais passé mes premières années. Deux femmes vêtues de blanc – l'une petite et ronde, l'autre grande et maigre – nous attendaient à côté des bagages de ma sœur. La première, maman Bisi, ma préférée, serra notre hôte dans ses bras avec cette chaleur qui me plaisait tant chez elle. Elle ne lui arrivait même pas à l'épaule. Puis ce fut au tour de maman Ada, qui imita son amie et coépouse de sa manière un peu abrupte dont elle ne se départait qu'avec les intimes.

Bien que son caractère doux et généreux ne se révélât pas au premier contact, cette femme pourtant avare de paroles savait toujours trouver les mots justes.

— Tu es le portrait craché de ta mère. J'ai l'impression de la revoir, lorsqu'elle est arrivée ici, dit-elle dans son anglais un peu dur, tandis que maman Bisi, muette d'émotion, séchait ses larmes.

— Lisa ne portait pas de lunettes et elle avait les cheveux un peu plus longs, corrigea-t-elle. Mais tu as raison, Ada, elle avait le même âge à l'époque. C'est quand même étrange, ajouta-t-elle en hochant la tête d'un air songeur, il suffit que la mère s'en aille pour que la fille arrive. Ce devait être écrit.

Elle marqua une pause et se moucha bruyamment.

— Choga t'a donné quelque chose à manger ? reprit-elle. Tu es si mince. Tout comme ta mère.

Cette fois-ci, ce fut Ada qui rectifia :

— Lorsque Lisa est arrivée, elle était plus en chair. C'est après qu'elle a commencé à maigrir.

— C'est vrai, confirma maman Bisi. Elle travaillait tellement, on aurait dit qu'elle était partout à la fois. Choga, va donc chercher à manger pour ta sœur.

Je voulus m'exécuter, mais Magdalena me retint :

— Non, reste, s'il te plaît. Je n'ai pas faim. Par contre, j'aimerais bien me reposer un petit peu.

— La pauvre, fit maman Bisi, avec sa sollicitude habituelle. Elle a raison, Choga, il faut qu'elle se remette de ses émotions.

— J'ai préparé vos lits, se contenta d'ajouter maman Ada qui, contrairement à maman Bisi, vivait et travaillait encore au harem.

Je conduisis ma sœur allemande dans la chambre de notre mère où elle devait passer la nuit. Devant son air étonné, je me surpris à inspecter à mon tour ces deux pièces minuscules en essayant de me mettre à sa place. Il fallait reconnaître que maman s'était toujours contentée de peu, à l'image de cet étroit canapé qui pouvait à peine nous accueillir toutes les deux et où nous nous installions pour qu'elle me raconte des histoires. Afin qu'on ne remarque pas à quel point le tissu en était usé, elle l'avait recouvert de plusieurs couvertures. Il y avait aussi un petit plan de travail muni d'un lavabo sur lequel reposait une statuette en bois de la Vierge et, sur le mur, une photo des Alpes.

— Je ne m'attendais pas à ça, dit Magdalena après un long moment de silence. Cela ne ressemble en rien à l'image que je me faisais d'un harem.

— Chaque femme avait le droit de décorer ses appartements comme elle l'entendait et d'y conserver ses effets personnels, lui expliquai-je. Tel était le souhait de mon père.

— Ça a dû aider maman à ne pas trop souffrir du mal du pays, observa ma sœur. Au fait, elle en parlait souvent, de l'Allemagne ?

— Parfois. Elle regrettait l'hiver en Bavière, avec toute cette neige. Et puis aussi les changements de saison que l'on ne perçoit pas tellement ici.

— Oui, je me souviens, elle aimait bien m'emmener au ski. Ça la mettait d'excellente humeur. Elle était comme transformée. Mais nous n'y sommes pas allées souvent, il me semble... Cela fait si longtemps. En fait, je me rappelle mieux l'enfance de ma fille que la mienne.

— Il est vrai que ma mère n'était pas très gaie, fis-je, avant de relever mon lapsus et de me corriger. Enfin, notre mère, je veux dire.

— D'une certaine manière, tu n'as peut-être pas tort : il n'est pas impossible que nous ayons eu deux mamans différentes.

Magdalena se dirigea vers la fenêtre et l'ouvrit. Puis elle se pencha à l'extérieur et se mit à écouter la musique.

— Crois-tu que les choses se seraient passées autrement si je l'avais accompagnée en Afrique ? demanda-t-elle soudain en se retournant vers moi.

— Pourquoi ne l'as-tu pas fait ? C'est elle qui n'a pas voulu ?

— Non, c'est moi. J'avais seize ans lorsque mes parents sont partis à Lagos et je tenais absolument à rester dans mon internat de bonnes sœurs près du lac de Chiem pour passer mon bac.

— Et tu l'as regretté ? Parce que tu t'es retrouvée toute seule, non ?

Ma sœur esquiva la question.

— Nous nous sommes écrit. Au début. Les premières semaines.

Dans la chambre où nous étions se trouvaient la photo de mon baptême et, à côté, celle avec les marguerites. Magdalena la prit et s'assit sur le lit, plongée dans ses souvenirs. Combien de fois avais-je donc interrogé ma mère au sujet de cette petite fille que j'aurais tant aimé rencontrer ? Souvent, d'ailleurs, mes questions la rendaient triste car elle ne savait pas y répondre. Elle ignorait tout de ce que sa fille aînée faisait, pensait ou ressentait.

— En tout cas, tu lui manquais beaucoup, déclarai-je. Je l'entends encore me dire : « Je ne me souviens même plus de ce que ça fait, de caresser les cheveux de Magdalena. »

— À moi aussi, elle m'a manqué. Mais je m'interdisais d'éprouver ce sentiment. J'essayais de me persuader que mes parents n'avaient pas voulu de moi, dans leur nouvelle vie en Afrique. Et puis, plus tard, je me suis dit que...

Magdalena s'interrompit, le regard fixé sur le lit double arrangé à la perfection par maman Ada.

— Ces draps ! Je les connais ! J'ai déjà dormi dedans. C'est incroyable qu'ils existent encore.

— Maman était très économe. Elle a toujours pris grand soin de ses affaires.

— Ça, pour être sérieuse, elle l'était. C'est pour cela que personne n'a réussi à comprendre cette histoire entre elle et ton père. Ça lui ressemblait si peu.

Sa voix laissa percer une amertume que je ne voulus pas sonder plus avant. Après tout, c'était bien mon père qui lui avait enlevé sa mère. Lui, ou peut-être même moi. Depuis ma naissance, j'avais toujours constitué un obstacle entre elle et Magdalena... Étais-je à ses yeux responsable du fait qu'elle ne soit pas retournée vivre en Allemagne ? La question me brûlait les lèvres.

— Ton père aussi a dormi dans ce lit ? demanda ma sœur.

— Non. Chaque fois que maman avait le droit de le voir, elle allait dans sa maison à lui.

— Il n'est jamais venu ici ? s'étonna Magdalena.

Curieusement, je ne m'en étais moi-même jamais fait la réflexion. Pourtant c'était bien vrai : pas une seule fois mon père ne s'était rendu dans ces appartements. Mais qu'aurait-il bien pu y faire ? C'était le territoire de ma mère et il avait sa propre demeure, la plus belle et la plus grande, avec une entrée côté rue qui lui était réservée et lui permettait de recevoir des visiteurs sans que le harem n'en sache rien.

— Dans une de ses dernières lettres, maman me disait que cela faisait déjà trois ans que ton père était mort, commença Magdalena. Mais alors, pourquoi le harem existe-t-il toujours ?

— Parce que notre mère l'a voulu ainsi. Elle s'est beaucoup battue pour que les femmes puissent rester chez elles.

— L'idée de partir ne l'a donc pas même effleurée ? À moins qu'elle n'ait pas pu. On la retenait de force ou quoi ?

— Toutes les femmes ont toujours vécu ici de leur plein gré, répondis-je, surprise de constater que Magdalena semblait considérer un harem africain comme une prison. Nous formons une grande famille, tu sais.

J'entrepris alors d'expliquer à Magdalena que nous adorions toutes cet endroit parce qu'il constituait pour nous un véritable havre de paix. Pendant des décennies, il nous avait préservées des tourments des hommes, nous permettant de rire autant que nous le voulions, de jouer, de discuter en toute liberté. Je n'étais pas la seule, loin de là, à avoir passé une enfance heureuse et insouciante dans le harem de mon père. À certaines époques, nous étions même plus de cent, mais j'avais toujours cru que toutes les familles étaient aussi nombreuses que la nôtre. De la même manière, j'étais persuadée que chaque enfant avait vingt mères ou du moins qu'il y avait vingt femmes qu'il appelait maman et sur lesquelles il pouvait compter.

Mais c'était il y a bien longtemps et j'avais fini par apprendre que le monde ne fonctionnait pas ainsi. Mon père avait créé cet univers pour nous, mais notre paradis, dissimulé derrière ces grands murs blancs, s'était brisé. Comme du verre qui tombe sur du ciment et éclate en mille morceaux. Des morceaux de verre de toutes les couleurs qui me faisaient penser à ceux qui ornaient la crête de notre mur d'enceinte. Un jour où je les vis briller au soleil, je me les figurai telle une myriade de petites étoiles tombées du ciel à la seule fin de nous protéger, mes sœurs et moi.

Alors que j'étais encore toute petite, ma mère m'avait pourtant expliqué la raison d'être de ces éclats de verre qui entouraient le harem. Mais jamais nous n'avions éprouvé le désir de passer de l'autre côté pour voir ce qui s'y trouvait. Ni moi ni aucune de mes camarades de jeu. Notre monde se trouvait entre ces murs et, à l'époque, il me suffisait amplement.

Pour l'heure, je préférai ne pas confier à ma sœur que j'avais fini par considérer le harem d'une tout autre manière. Ce n'était jamais que la première soirée que nous passions ensemble.

On frappa à la porte. Maman Ada passa la tête à l'intérieur.

— J'ai vu qu'il y avait encore de la lumière, dit-elle. Voulez-vous rendre une dernière visite à votre mère ?

La mort de maman l'avait ramenée là où sa vie dans le harem avait débuté, dans une pièce de la maison de mon père où lui aussi s'était éteint des années auparavant et qui avait été aménagée exprès pour qu'il vive le mieux possible la phase terminale de sa maladie. À présent, c'était elle qui y reposait, dans un silence glacial qui me serra le cœur tant il contrastait avec l'ambiance chaleureuse de la fête.

On aurait dit qu'elle venait de s'endormir. Maman Felicitas et maman Patty s'étaient donné bien du mal pour que nous conservions d'elle le souvenir d'une femme simple et digne. Maquillée et apprêtée pour l'éternité, elle était enveloppée dans un drap blanc qui ne laissait voir que son visage encadré par deux bougies violettes. Sans un mot, ma sœur s'approcha. Elle avait les mâchoires serrées. C'était la première fois depuis vingt-cinq ans qu'elle était aussi proche de sa mère.

— Veux-tu que je te laisse seule avec elle? demandai-je.

Elle hocha la tête en silence et je sortis. Quelques minutes plus tard, elle vint me rejoindre, les yeux rougis de larmes.

— Ça y est. Je crois qu'elle m'a pardonné, déclara-t-elle.

— Mais de quoi?

— De l'avoir rejetée... Pendant tout ce temps. Chaque fois qu'elle est venue en Allemagne, je l'ai évitée. Jamais je ne lui ai donné la chance de m'expliquer pourquoi elle voulait rester ici, au Nigeria. J'ai été si égoïste. Je ne pensais qu'à ma propre douleur de l'avoir perdue.

— Maman ne t'a jamais demandé si tu voulais la rejoindre en Afrique?

Perdues dans nos pensées, nous nous mîmes à observer les femmes qui, au son du tambour, entamaient une nouvelle danse. Magdalena ne m'avait toujours pas répondu.

— Si, une fois, fit-elle enfin. Il me semble, en tout cas. Ensuite, le contact a été rompu pendant des années.

Elle me prit la main.

— Au fait, poursuivit-elle, que sais-tu de la vie de maman avant son mariage avec ton père?

— Oh, elle ne m'en a pas dit grand-chose.

— Veux-tu que je te raconte? Et pour la suite, ce sera ton tour.

J'acquiesçai avec enthousiasme et nous retournâmes dans la chambre de ma mère. Il était minuit passé, mais nous étions bien trop excitées pour nous coucher.

— Maman est là, dis-je. Je sens sa présence, c'est très net.

— Moi aussi. Bon, je commence.

3
Une Bavaroise en Afrique

— Le nom de famille allemand de notre mère est Hofmayer. Elle est née en 1933 en Bavière, où elle a vécu dans une ferme située entre Rosenheim et Traunstein. Lorsqu'elle est arrivée pour la première fois en Afrique, elle n'avait encore jamais quitté son pays natal. Elle avait quarante et un ans et était mariée depuis seize ans à Bruno, son premier et, jusque-là, seul amour. Elle ne connaissait presque pas un mot d'anglais. À propos, sais-tu que tu as un léger accent bavarois, Choga ?

— Je n'ai guère parlé allemand qu'avec maman, répondis-je, ne comprenant pas bien ce qu'elle entendait par là.

— Justement. C'est d'elle que tu l'as hérité. Si tu allais en Bavière, les gens croiraient que tu as passé toute ta vie là-bas. Alors que tu n'y as jamais mis les pieds. C'est amusant, non ?

Magdalena marqua une pause, puis elle se remit à parler.

— Tout à l'heure, devant le cercueil, j'ai vu que maman portait toujours ses bijoux de l'époque.

Elle faisait allusion à une croix en argent sans grande valeur d'environ cinq centimètres et à une médaille de saint Christophe, également en argent.

— Le crucifix était un cadeau de baptême, dis-je, et le pendentif lui a été offert par son père, lorsqu'il est parti à la guerre.

Le jour où ma mère m'avait confié d'où ils venaient, elle avait ajouté qu'elle ne s'en séparait jamais. Magdalena et moi convînmes d'en garder un chacun.

— Tes grands-parents allemands s'appelaient Maria et Sepp Brunner, reprit ma sœur. Ils étaient agriculteurs. En 1944, papi est parti au front en tant que volontaire ; il est mort quand notre mère avait douze ans. Mamie s'est alors occupée de la ferme avec Xaver, son fils aîné. À ce moment-là, maman, qui avait huit ans de moins, allait encore à l'école. C'était un établissement professionnel agricole et, quelque temps plus tard, elle a rejoint le Brunnerhof. Celui-ci ne comptait pas seulement des vaches et des cochons, mais aussi un important élevage de volailles dont elle s'est plus particulièrement occupée. Les champs étaient fertiles et on y cultivait le maïs et le blé. Bien que l'exploitation ait été rentable, mamie ne s'est jamais accordé le moindre plaisir. Elle se contentait de faire son travail et d'aller à l'église tous les dimanches, après s'être occupée des bêtes. Le reste ne l'intéressait pas. Comme tu le sais, maman aussi était très croyante.

— Oui, j'ai d'ailleurs moi-même été élevée dans la foi. Et je lui en suis très reconnaissante. Ça m'a bien aidée, surtout dans les moments difficiles.

— À vingt-deux ans, la vie de notre mère a pris un tour nouveau, son frère ayant épousé une certaine Johanna, qui en avait vingt-cinq. Elles ne se sont pas du tout entendues. Tante Johanna avait un sacré caractère et, pour ma part, je préférais l'éviter. Deux ans après le mariage, mamie a eu une crise cardiaque et Johanna a une fois pour toutes pris les rênes de l'exploitation. Oncle Xaver, quant à lui, était quelqu'un de très bien. Le moins qu'on puisse dire, c'est qu'il ne ménageait pas sa peine. Mais c'était clairement tante Johanna qui portait la culotte. À partir de ce moment-là, je pense que maman s'est sentie un peu de trop. C'est en tout cas ce qu'elle m'a dit. Et c'est sans doute aussi pourquoi elle a tant apprécié que Bruno, un ami d'oncle Xaver, lui fasse la cour. Il était brasseur, c'était ce qu'on appelle un bon parti. Ils se sont mariés en 1958, quelques mois avant ma naissance, et, deux ans plus tard, nous nous sommes installés à Munich. Papa venait d'y trouver un poste pour une grande marque de bière.

Pendant tout le récit de Magdalena, j'étais restée suspendue à ses lèvres.

— À ce propos, intervins-je, maman m'a raconté qu'elle avait regretté de partir à la ville. Selon ses propres termes, elle était une vraie fille de la campagne. D'ailleurs elle n'a jamais supporté le bruit et la puanteur de Lagos, et s'est toujours sentie plus à l'aise dans le harem qu'à l'extérieur.

— Je l'imagine bien volontiers. Ah, tiens, j'ai oublié de mentionner un épisode important. Les tensions entre notre mère et sa belle-sœur n'ont cessé de s'amplifier, jusqu'au jour où, peu de temps avant son mariage, tante Johanna et oncle Xaver l'ont mise à la porte.

— J'étais au courant, mais j'avoue que, jusqu'à aujourd'hui, je n'ai jamais vraiment réussi à comprendre comment cela a pu arriver. Maman détestait les conflits.

— C'est vrai, reprit Magdalena. Mais quoi qu'il en soit, dès la mort de mamie, la rupture avec son frère était consommée. Et la situation s'est encore envenimée lorsque notre mère a épousé ton père.

Je tombais des nues. C'était la première fois que j'appréhendais les choses sous cet angle. À présent, je tenais absolument à en savoir plus sur la première vie de ma mère.

— Et comment ça s'est passé, à Munich ? demandai-je avec impatience.

— Maman a très vite retrouvé du travail. La brasserie qui employait mon père possédait un certain nombre de cafés et puis aussi des buvettes dans les parcs de la ville. Un jour, ils lui ont proposé de prendre la direction d'un de ces établissements et elle a accepté tout de suite.

— Oui, je sais. Elle m'a souvent dit que cela avait été une période très agréable. Mais en même temps assez dure, me semble-t-il. Il est vrai que tu étais encore très jeune.

— Absolument. Mes parents n'avaient guère de temps libre. Et nous ne prenions jamais de vacances. Pourtant papa avait toujours rêvé de visiter des pays étrangers. Mais maman n'envisageait pas une seule seconde de se faire remplacer.

— Ah bon ? À moi, elle a toujours dit que c'était à cause de Johanna que vous ne partiez pas. Parce qu'elle craignait que sa belle-sœur ne détruise une nouvelle fois ce qu'elle avait bâti.

— Ce n'est pas impossible, en effet, répondit Magdalena, tout en réfléchissant à ma version. Cela dit, elle a quand même fini par s'en séparer, de son affaire. Je crois que c'était en 1972. La société de mon père voulait ouvrir une filiale en Amérique du Sud et il a sauté sur l'occasion. Il n'a pas tardé à convaincre maman, et j'étais même censée les accompagner. Mais c'est à ce moment-là que mamie a fait son deuxième infarctus, nettement plus grave que le précédent, qui l'a laissée à moitié paralysée. À l'époque, le Brunnerhof était devenu l'exploitation la plus importante de toute la région, et tante Johanna ne se sentait pas capable de s'occuper d'elle. En plus, elle avait eu trois enfants avec oncle Xaver. Aussi maman a-t-elle estimé qu'il était de son devoir d'accueillir mamie chez nous, à Munich.

Cette péripétie du passé de ma mère m'était elle aussi inconnue.

— C'est donc pour ça que ton père est parti seul en Amérique du Sud. Maman est restée évasive sur le sujet. Elle s'est contentée de me dire qu'il avait entamé une liaison avec une autre femme et que, lorsqu'il revenait vous voir, il n'était plus le même.

— Ça n'a pas dû être facile pour elle, se souvint Magdalena. Après la mort de mamie, elle a commencé à aller vraiment mal. Elle était en proie à de brutales crises d'angoisse. Papa a fini par démissionner de son poste et il est revenu à Munich. Durant son absence, maman avait considérablement changé. Avant, elle était plutôt bien en chair, mais le stress de la séparation et le trop-plein de responsabilités lui ont fait perdre beaucoup de poids. Elle qui mesurait 1 mètre 68 ne pesait plus que 52 kilos.

— C'est vrai, je l'ai toujours connue très mince, confirmai-je. Mais ne t'arrête pas. Que s'est-il passé ensuite ?

— Vers la fin de l'année 1974, papa a eu vent d'un projet consistant à créer en Afrique un centre de formation aux métiers de la brasserie. Au Nigeria, un pays dont mes parents ignoraient jusqu'à l'existence. À l'époque, ils étaient très absorbés par leurs propres histoires. Peut-être est-ce d'ailleurs à cause de cela qu'ils n'ont pas fait trop d'efforts pour me persuader de les accompagner. Mais je pense plutôt qu'ils ne savaient tout simplement pas à quoi s'attendre. J'étais une excellente élève, alors qu'aurais-je été faire à Lagos ? Si mes souvenirs sont bons, personne n'a même été capable de nous dire s'il y avait là-bas une école allemande. De mon point de vue, il n'était donc pas question de quitter l'internat. Bref, toujours est-il qu'un beau jour, entre Noël et le Nouvel An, mes parents ont pris l'avion et sont partis à Lagos. C'est vraiment incroyable : non seulement maman n'avait jamais entendu parler du Nigeria mais, en plus, elle parlait à peine anglais. Et le pire – c'est du moins ce qu'elle a prétendu – c'est qu'elle se sentait totalement inutile. Tu la connais, elle a toujours voulu s'occuper de tout elle-même, suivre la Bible à la lettre et ne se reposer que le septième jour de la semaine. Et là, elle se retrouvait dans une grande maison parfaitement équipée, avec des domestiques partout. Dès qu'elle voulait se mêler de quelque chose, ils le prenaient mal. Alors elle s'est sentie de plus en plus exclue. Papa avait signé un contrat de trois ans ; l'affaire de Munich avait été confiée à quelqu'un d'autre ; que pouvait-elle faire ?

Ma sœur me regarda. Elle semblait fatiguée, mais je la priai de continuer. De toute façon, il n'était même plus question de songer à dormir.

— Papa avait voulu la rendre heureuse, mais elle allait encore plus mal qu'avant. Elle passait des journées entières au lit. C'est à ce moment-là que la guérisseuse a fait irruption dans sa vie.

— Amara, précisai-je avec un grand sourire. Elle fournissait du personnel de maison aux blancs fortunés qui vivaient à Lagos. Une de ses filles a dû lui parler de maman et elle a décidé de se pencher sur le cas de cette femme allemande si triste. D'une manière ou d'une autre, elle a réussi à établir un rapport de confiance. Elle a commencé par lui administrer un remède à base de plantes de sa composition et, au bout d'une semaine, maman avait cessé de se sentir abattue et recommençait à s'intéresser à son environnement. Alors Amara l'a présentée à une dame qui lui a appris l'anglais. Mais ensuite, les événements ont pris une tournure qu'elle n'avait pas du tout prévue.

En prononçant cette dernière phrase, je ne pus m'empêcher de pouffer.

— Comment ça ? demanda Magdalena. Qu'est-il arrivé ?

— Dès que maman eut recouvré son énergie, elle décida de reprendre en main les femmes de chambre. Les pauvres, rien de ce qu'elles faisaient ne trouvait grâce à ses yeux. Au lieu de se vexer, Amara eut l'idée lumineuse de lui confier leur formation. Maman s'était épanouie et…

— Mais oui, bien sûr ! m'interrompit Magdalena. Papa me l'a raconté. Il était si heureux. À partir de là, ils ont vraiment passé du bon temps et ont commencé à pas mal recevoir.

— Et c'est à l'occasion d'une de ces réceptions qu'ils ont dû faire la connaissance de mon père. D'après maman, David Umokoro – c'est ainsi qu'il s'appelait – avait la prestance d'un seigneur. Mais il était aussi très attentionné et bien trop modeste pour se vanter de sa réussite. Sans parler de la douceur de son regard qui l'a beaucoup marquée.

Au souvenir de la description haute en couleur que m'en avait faite ma mère, je sentis l'émotion me submerger.

— Non seulement il a tout de suite plu à maman, mais papa aussi était sous le charme, renchérit Magdalena. Il n'a pas hésité à se confier à lui sur son travail.

— Mon père avait un talent incroyable pour mettre les gens en relation. Il identifiait leurs besoins en un clin d'œil et les orientait aussitôt vers d'autres, susceptibles de leur venir en aide. Il faut dire qu'il connaissait tout le monde. Sauf erreur, il a même servi d'intermédiaire pour que ton père obtienne une mission de conseil concernant l'ouverture d'une brasserie. C'est bien ça, non ?

— Tout à fait. David Umokoro était très souvent invité chez mes parents. Maman et lui ont sans doute parlé d'agriculture. Et puis ensuite, il l'a invitée à visiter ses terres. Papa m'a raconté qu'elle en était revenue enthousiaste, subjuguée par cette couleur ocre à perte de vue. C'est alors que ton père lui a proposé de s'occuper de son exploitation. Quant à savoir pourquoi, c'est une autre histoire.

— Ça, je peux te l'expliquer ! m'écriai-je. Dans les années 70, le Nigeria a connu une prospérité aussi inattendue que massive. Subitement, la profusion des gisements pétroliers semblait ouvrir des perspectives infinies. Fort de cette manne financière, le gouvernement a décidé de lancer un vaste programme agricole. Il était intitulé *Feed the Nation* [1], un thème qui a d'ailleurs conservé toute son actualité. L'objectif était d'en finir avec le problème de la faim. Pour ce faire, une très large privatisation des terres a été entreprise et l'aide étrangère vivement encouragée. Dans ce contexte, ça ne me surprend pas que mon père ait fait appel à notre mère.

— C'est assez logique, confirma Magdalena qui m'avait écoutée avec intérêt. Et puis, pour maman, il n'y avait que des avantages. Grâce à cette mission que lui confiait ton père, sa dépression, qui était en voie de guérison, ne fut bientôt plus qu'un mauvais souvenir. Elle avait retrouvé ses vraies racines et était redevenue elle-même.

— Sauf qu'avec tout ce travail elle n'avait plus guère le temps de voir ton père. Mais, si j'ai bien compris, celui-ci s'est à peine rendu compte qu'elle

1. Nourrir la nation (N.d.T.).

s'éloignait peu à peu de lui. Maman n'a pas cessé de souligner que lui aussi était très pris.

— C'est juste, intervint Magdalena. Cependant, il a toujours prétendu qu'il n'avait pas eu entière confiance en ton père. Certes, je ne l'ai pas entendu employer à son égard des mots aussi durs que mon oncle ou ma tante, mais j'ai cru comprendre qu'il considérait un peu David Umokoro comme un prédateur qui aurait jeté son dévolu sur maman. Et puis il y a une question à laquelle papa n'a jamais su répondre : pourquoi a-t-il fallu que ton père, qui avait déjà toutes les épouses qu'il voulait, fasse des avances à une femme mariée ?

— Je ne pense pas que l'on puisse formuler cela comme ça, objectai-je. À mon avis, lorsqu'elle a commencé à travailler pour lui, il n'y avait pas encore de sentiments entre eux. Comme tu l'as dit toi-même, elle était très croyante, et je suis convaincue qu'elle était fidèle à ton père. Ce n'est pas ton opinion ?

— Si, tu dois avoir raison. En tout cas, papa n'a pas dit le contraire. D'après lui, il y a eu une conjonction de facteurs, mais il n'a pas su expliquer clairement lesquels. Du moins pas à moi.

— Si tu veux, je peux te raconter l'histoire de mes parents telle que je l'ai perçue, proposai-je à ma sœur.

— J'aimerais bien la connaître. Comme ça, je pourrai peut-être enfin comprendre comment une Bavaroise a pu tomber amoureuse d'un maître de harem africain.

Cette dernière phrase prononcée, Magdalena garda le silence et m'écouta.

4
La trente-troisième femme de mon père

Il faut bien admettre que l'histoire de mes parents n'a pas débuté de la manière la plus simple qui soit. Il s'en est passé des choses avant que ma mère s'éprenne enfin de mon père !

« Je n'étais déjà plus une jeune fille insouciante, mais une femme mûre de quarante et un ans », me confia-t-elle un jour, alors que je l'avais une nouvelle fois priée de tout me raconter depuis le début. « En Allemagne, mon médecin de famille m'avait dit que ma ménopause avait déjà commencé. Aussi pensais-je, en quittant mon pays, que mes plus belles années étaient derrière moi. Cela a d'ailleurs dû compter parmi les facteurs à l'origine de ma dépression. »

Et c'est alors qu'est apparu papa David ! Un homme au charme fou, dont certains disaient même qu'il avait du magnétisme. Quoi qu'il en soit, il était irrésistible et exerçait une séduction bien réelle sur les femmes. Même si, dans les premiers temps, maman ne voulait pas se l'avouer, il savait s'y prendre pour lui faire la cour. S'était-il mis en tête de la rendre amoureuse de lui ? Je l'ignore. Toutefois, ayant souvent observé mes parents par la suite, je reste convaincue qu'ils se sont trouvés. Ils allaient bien ensemble, voilà tout, et se complétaient à plus d'un titre. Ayant en outre tendance à croire au destin, je dirais qu'ils étaient faits l'un pour l'autre.

Mais il y avait aussi tout le reste. Comme le mode de vie de papa David, par exemple. Une fois qu'ils eurent démarré son exploitation agricole, il convia maman dans sa maison.

« C'était un dimanche matin, me raconta-t-elle. Jamais je n'oublierai cette journée. Papa David m'avait envoyé une de ses grandes voitures immaculées. Le chauffeur m'a conduite au *compound* où ton père m'attendait. En découvrant son univers, j'en suis restée bouche bée. Cet énorme complexe avec ces nombreuses maisons, cette opulence et puis cette nonchalance avec laquelle il évoluait au milieu de tous ces gens qui lui étaient dévoués corps et âme... Mais ce qui acheva de m'impressionner, c'est l'accueil chaleureux que les femmes me réservèrent. Elles étaient si gentilles, si détendues et naturelles, et il émanait d'elles des ondes si positives. Au début, je ne savais pas qu'elles étaient toutes ses épouses. Je n'aurais même pas pu l'imaginer une seule seconde. Juste après mon arrivée, nous nous rendîmes dans le bâtiment principal. Là, les femmes se mirent à chanter. L'ambiance était incroyablement festive. Tout le monde tapait dans les mains et cela se prolongea jusque tard dans la soirée. C'était la première fois que j'étais témoin d'une telle joie de vivre. Et tu ne peux pas savoir comme ça me faisait du bien, après toutes ces années de morosité. Le contraste était total. Au bout d'un moment, papa David prit la parole. Mon anglais n'était pas encore très bon et je mis un certain temps à comprendre qu'il s'agissait d'un prêche. Je venais de réaliser que j'assistais à un culte africain, et cette cérémonie n'avait rien à voir avec ce que j'avais connu en Allemagne. »

Bientôt, on vint chercher maman chaque dimanche. Toute la semaine, elle se réjouissait de cette perspective. Avec une rapidité surprenante, elle apprit la langue et se mit à écouter avec attention les sermons de papa.

« Ce qu'il disait me plaisait. Il était question du respect des autres, de la vie en communauté, de l'égalité entre les êtres. Pas une seule phrase à laquelle je ne souscrive sans réserve. Ensuite, il distribuait de la nourriture aux enfants des familles pauvres. J'avais entre-temps eu le loisir d'observer la misère qui sévissait à Lagos et je voyais enfin quelqu'un qui agissait, qui aidait et qui partageait avec les nécessiteux. »

Et puis il y avait les autres femmes, dont certaines avaient l'âge de notre mère. Patty et Felicitas par exemple, avec qui elle sympathisa tout de suite et qui ne tardèrent pas à l'intégrer à leur vie de tous les jours. Maman, qui adorait les travaux manuels et le bricolage, se montra enthousiaste et commença bien vite à mettre la main à la pâte. Comme de son côté elle maîtrisait certaines choses que les autres ignoraient, un petit cercle se constitua, qui fonctionnait d'ailleurs même sans papa David, bien que celui-ci en restât le centre.

Un jour, je demandai à maman quand elle avait pour la première fois pris conscience de ses sentiments pour mon père. Voici ce qu'elle me répondit : « Après quelque temps, il a bien fallu que je me rende à l'évidence. Ce n'était pas tant la convivialité, le bonheur et l'harmonie de la maison de papa David qui me séduisaient, mais plutôt le fait que cette vie était devenue la mienne. C'est là que je compris que j'étais tombée amoureuse de l'homme qui avait su créer cet univers bien à part. Car chez moi, tout ce qui m'attendait, c'était le vide et la solitude. »

En l'espace de quelques mois, maman était devenue méconnaissable. Elle ne portait plus rien d'autre que ces amples tuniques blanches des épouses de mon père.

« C'était tellement plus agréable que mes vêtements occidentaux étriqués dans lesquels je me sentais prisonnière », m'expliqua-t-elle bien des années plus tard avec une lueur radieuse dans les yeux. « Tout d'un coup, j'étais libérée de cette énorme pression que j'avais dû endurer pendant si longtemps. L'amour que je portais à ton père me rajeunissait et je lui en étais très reconnaissante. Non seulement il m'avait redonné goût à la vie et confiance en moi, mais en plus il me restituait ma jeunesse. J'ai éprouvé ce même sentiment lorsque j'ai su que je t'attendais. Je l'ai pris comme un cadeau du ciel, aussi providentiel que magnifique. »

Le père de Magdalena était d'accord pour me reconnaître, mais maman ne l'a pas voulu. Quant à papa David, il tenait absolument à officialiser les choses en l'épousant. Ce n'est qu'à ce moment-là qu'elle a pris toute la mesure de ce qui l'attendait.

« J'aimais papa David et je désirais que tu sois élevée comme sa fille. Il m'a présentée à chacune de ses épouses. J'étais très fière. J'en connaissais la plupart, mais j'ignorais encore que j'allais devenir la trente-troisième. Ça m'a fait un peu drôle. De surcroît, elles devaient toutes donner leur accord à notre union pour qu'il n'y ait pas de dispute ! Mais papa David avait été très habile. Il m'avait emmenée au *compound* alors que nous n'étions même pas encore ensemble, ce qui lui avait permis de constater que ses deux femmes les plus importantes, Felicitas et Patty, m'appréciaient. S'il avait perçu des réticences de leur part, tu ne serais probablement jamais née, Choga Regina. Je pense que ton père aurait mis un terme à notre relation avant qu'il ne soit trop tard. »

Par la suite, je me souviens avoir vu mon père, de la même manière, introduire petit à petit de nouvelles épouses dans le harem. À mon sens, il s'agit de l'attitude la plus respectueuse vis-à-vis des autres. À condition, bien sûr, d'approuver la polygamie.

L'idée que le premier mari de ma mère ait pu se sentir manipulé et trahi par papa David ne m'a jamais traversé l'esprit. Toutefois, il a dû considérer que mon père avait fait preuve d'un certain machiavélisme. Il devait bien se douter qu'il avait une idée derrière la tête en faisant venir maman dans le *compound*. J'ai appris qu'il avait mis un terme anticipé à son contrat et qu'il était retourné au Brunnerhof, où il décédera cinq ans plus tard, à cinquante-quatre ans à peine. Dans l'intervalle, maman lui avait rendu visite en Allemagne et je suppose qu'il lui avait pardonné.

Lorsque ma mère a épousé David Umokoro en 1975, selon la loi nigériane, elle était déjà enceinte de cinq mois. La cérémonie, organisée en présence de toute notre famille – c'est ainsi que nous appelons l'ensemble des habitants du harem – a dû être assez fastueuse. À l'époque, la nouvelle maison commune n'existait pas encore et l'ancienne était trop petite pour accueillir un mariage. Celui-ci a donc eu lieu à l'extérieur, ce que maman trouvait d'ailleurs plus agréable. Sa noce est la dernière à avoir été célébrée ainsi et elle s'est prolongée jusqu'au lendemain matin.

Ayant eu l'occasion d'assister à bon nombre de mariages dans le harem – ceux de mon père mais aussi ceux de beaucoup de mes demi-sœurs –, j'imagine fort bien l'ambiance dans laquelle celui-ci s'est déroulé. Plusieurs jours auparavant, on avait commencé à décorer le *compound*, à faire mijoter des mets raffinés ; les femmes s'étaient apprêtées, la chorale du harem avait répété de nouveaux chants. Le tout dans une atmosphère particulière, pleine d'impatience et d'excitation. Il va de soi que la famille de la nouvelle épouse était elle aussi la bienvenue, mais dans le cas de maman ça n'a pas été possible. Seule Amara, qui était devenue son amie et sa confidente, a pu être présente. Longtemps après, elle se remémorait encore souvent cet événement.

« Quand j'avais fait la connaissance de ta mère, à peine un an plus tôt, elle était plongée dans une grande tristesse. Et là, je la voyais aux côtés de cet homme si noble, rayonnante comme une reine. Dans son regard brillait cette même flamme que l'on retrouve chez les jeunes femmes qui ont atteint la première étape décisive de leur vie. Son voile blanc était orné de fleurs colorées et elle portait sur les épaules un châle brodé de fil d'or. En voyant tes parents danser ensemble, je compris que tout le poids du passé s'était dissipé. »

Les amitiés que ma mère avait tissées avant son mariage se révélèrent un soutien précieux. Maman Patty et maman Felicitas l'aidèrent à aménager ses appartements. Elle était devenue et allait rester l'unique Européenne du harem. Aussi les autres lui prêtaient-elles une oreille attentive lorsqu'elle leur parlait de la vie dans ces contrées lointaines. Elle était presque la seule à avoir connu autre chose que le *compound* ou son propre foyer familial. Maman appréciait cette attention qui lui était portée et, forte de son expérience dans la restauration, faisait profiter tout le monde de ses talents culinaires. Il faut dire que la bonne chère était appréciée dans le harem. Par ailleurs, mes nombreuses demi-sœurs devant tôt ou tard se préparer à leur propre mariage, les compétences de ma mère en matière de tenue d'un ménage tombaient à point nommé.

Bien que connaissant, de par la réaction hostile de sa famille allemande, les préjugés occidentaux contre la polygamie, j'ai vu maman s'épanouir pleinement dans le harem. Même si, par la suite, j'ai dû constater à mes dépens que ce n'était pas le cas partout, il régnait dans notre communauté un climat harmonieux, fait d'entraide et de compréhension mutuelle. Celui-ci étant dû pour l'essentiel à la personnalité de mon père et à ses deux premières femmes, Patty et Felicitas.

Papa David veillait à ce que l'ensemble de ses *queens* – ses reines, comme il appelait ses épouses – bénéficient d'un traitement égal, qu'il s'agisse du temps qu'il leur accordait ou de l'effort matériel qu'il fournissait pour l'entretien de leur appartement et de leur garde-robe. À intervalles réguliers, des représentantes venaient vendre au harem des produits de beauté, des bijoux ou des tissus, dont on faisait ensuite des vêtements.

Certes, nous n'avions droit qu'à une seule couleur, le blanc, mais celle-ci se déclinait en différentes matières, de la soie aux broderies précieuses en passant par le coton. En outre, toutes les nuances étaient permises : l'ivoire, le crème, voire le rose très pâle. Mais le ton dominant devait rester le blanc, suivant une loi non écrite que personne ne se permettait d'enfreindre et par laquelle papa David entendait nous donner le sentiment d'être déjà prêtes à accéder à la vie éternelle.

Pour l'achat de ses habits et du reste, chaque *queen* disposait de la même somme d'argent. Ce qui n'empêchait pas certaines de circonvenir les représentantes pour qu'elles leur cèdent quelque chose d'inédit. Le plus souvent, ces acquisitions leur servaient à se vanter auprès des autres ou bien, s'agissant notamment de parfums, à les doubler dans la course aux faveurs de mon père.

À mon sens, un harem est l'endroit idéal pour se rendre compte du pouvoir des fragrances. Papa avait le nez très sensible. Aussi quelques-unes de ses épouses avaient-elles érigé en art la faculté de lui faire tourner la tête par une senteur inhabituelle, afin de perturber l'ordre des visites établi par maman Patty. Comme elles étaient toutes habillées pareil, il n'y avait guère d'autre moyen de se distinguer.

Il arrivait ainsi que mon père, qui n'était pas avare de compliments, désigne celle qui avait adopté le nouveau parfum comme sa favorite. Dieu merci, il ne le faisait que rarement et maman Patty ne manquait pas de le mettre en garde contre les conséquences de ses caprices, l'élue de circonstance se trouvant en effet exposée au courroux fort légitime de la *queen* dont c'était en théorie le tour. Mais parfois, ce genre de stratagème pouvait aussi se retourner contre celle qui l'avait utilisé, papa décidant au contraire de l'éconduire. Nul besoin d'ajouter qu'elle devait alors en plus essuyer les railleries des autres...

C'était maman Patty qui dirigeait les *queens*. L'une de ses principales fonctions consistait à répartir en toute équité les visites à mon père. Compte tenu du nombre de femmes que comptait le harem, ce n'était pas une mince affaire ! Il fallait prendre en considération les phases d'abstinence devant être observées après une naissance (deux ans pour un garçon, un an pour une fille) ou, à l'inverse, les périodes de fécondité au cours desquelles l'épouse désignée, lavée et parée de ses plus beaux atours par les autres, pouvait être présentée à papa. Sans oublier bien sûr les jours d'indisposition où il était hors de question de partager son lit.

De temps à autre, une rixe éclatait. Si les protagonistes ne parvenaient pas à régler seules leur différend, elles devaient comparaître devant le « tribunal » constitué de maman Patty, en sa qualité d'épouse la plus ancienne, et de deux autres femmes. Des petits groupes d'amies s'étant formés parmi les *queens*, chacun s'efforçait d'obtenir une représentante au « tribunal » afin d'accroître son influence. Comme maman s'entendait avec presque tout le monde, elle y fut nommée trois ans à peine après son entrée au harem. En tant qu'Européenne et que femme d'âge mûr, il lui était plus facile de porter des jugements impartiaux. Une capacité que les autres appréciaient à sa juste valeur, y compris d'ailleurs mon père lui-même, qui la consultait souvent.

Parmi toutes les *queens*, une seule avait eu du mal à accepter sa présence. Elle s'appelait Idu. Papa l'avait épousée quelques semaines seulement avant ma mère. Idu n'avait que vingt et un ans. Originaire du nord du Nigeria, mince et élancée, elle était issue d'une famille très riche et en tirait une grande fierté. Son père avait le titre de sultan, ce qui signifiait qu'il était le chef d'une tribu importante. D'après ce que j'ai compris, c'était lui qui avait exigé qu'elle épouse papa David. Toujours est-il qu'Idu a été fort vexée que son époux se remarie aussi vite. Mais le principal affront à ses yeux a dû être que sa rivale tombe enceinte avant elle. Petit à petit, elle développa une franche hostilité à son endroit, laquelle se trouva encore renforcée par la joie qu'engendra ma naissance.

Comme en outre mon père ne se contentait pas de voir maman en tant qu'épouse mais aussi en tant que conseillère, Idu tenta de monter les autres contre elle en prétendant qu'elle lui avait jeté un sort. Aussi maman Patty décida-t-elle que, pendant le temps nécessaire, Idu serait la seule à se rendre chez mon père. Elle fut enfin fécondée et la paix revint dans le harem.

5
Un homme d'influence

Si le Nigeria compte beaucoup d'hommes polygames, la plupart n'ont cependant « que » deux ou trois femmes. Cela dépend de leur religion, de leur statut social ou, plus prosaïquement, de leur portefeuille. Papa David était très riche. Mais surtout, il était persuadé d'être investi d'une grande mission, la plus noble qui soit : celle de rendre les autres heureux en leur donnant confiance en eux et en l'avenir. Le moyen d'atteindre cet objectif était la *Family of The Black Jesus*[1], en d'autres termes la famille tout court, dont lui-même, papa David Umokoro, formait le noyau. Grâce à ses épouses – et c'est la raison pour laquelle elles devaient être nombreuses –, il pouvait l'élargir à l'infini et, ainsi, espérer diffuser son message dans le monde.

Cette tâche incombait avant tout à ses fils, à commencer par l'aîné, Moïse. Lorsque je suis venue au monde, en 1976, celui-ci avait vingt-quatre ans et était déjà père de trois enfants. Il avait été envoyé dans le Nord musulman pour y fonder une famille au sens où papa l'entendait. Aujourd'hui, ses descendants sont au nombre de vingt et contribuent à leur tour, dans leurs

1. La famille du Jésus noir (N.d.T.).

familles respectives, à répandre la foi chrétienne et l'interprétation qu'en a faite David Umokoro.

Le projet de mon père trouve son origine dans une école située à Calabar, à l'extrême sud-est du Nigeria. C'est là que le petit David, fils d'une famille pauvre et croyante, a appris à lire, à écrire et à compter. Aux yeux des missionnaires chargés de son éducation, il allait de soi que le Christ était blanc. Un jour pourtant, papa a émis l'idée que Jésus ait pu avoir la même couleur de peau que lui, ses parents ou ses camarades. Ces derniers trouvèrent l'idée tout à fait intéressante, mais ce ne fut pas le cas des pères blancs : sans autre forme de procès, ils renvoyèrent de l'école le petit garçon âgé d'à peine dix ans. Papa a été profondément marqué par cette injustice. Il en parlait souvent et ça a été le fondement de toute son existence.

On décida alors de l'envoyer chez le frère de sa mère, à Lagos, une ville distante de près de mille kilomètres. Dans la maison de l'oncle Emmanuel ne vivaient pas seulement les six membres de sa propre famille, mais aussi de nombreux parents plus ou moins éloignés. David, le gamin récalcitrant venu de loin, y a commencé tout en bas de l'échelle, en tant que *boy*, c'est-à-dire serviteur. Cette expérience lui a permis de s'affirmer et, par la suite, il a toujours estimé qu'elle lui avait été fort profitable.

L'oncle Emmanuel lui aussi était un bon chrétien. Mais il se révéla un père adoptif sévère et papa, qui avait appris à ses dépens que parler sans réfléchir pouvait être lourd de conséquences, cessa bien vite d'évoquer son idée d'un Messie à la peau sombre. Sans pour autant l'abandonner.

Actuellement peuplée d'environ dix millions d'habitants, Lagos l'était beaucoup moins à l'époque. Néanmoins, la misère y était déjà le lot commun et la majorité de ses habitants vivaient dans des lotissements très modestes. Pour pratiquer leur culte, ils devaient se contenter de petites cabanes rudimentaires équipées d'une croix, d'une simple table en guise d'autel et, au mieux, de quelques bancs un peu branlants. Aux croyants qui, comme mon grand-oncle et ses proches, avaient quitté les provinces encore plus pauvres du pays pour trouver du travail à la ville, ces endroits permettaient toutefois de reconstituer une communauté. Dieu leur offrait ainsi un refuge, une consolation dans les périodes difficiles et l'espoir d'accéder un jour au paradis.

L'oncle Emmanuel lui aussi avait édifié sa petite chapelle à l'aide d'un peu de terre, de bois et de ferraille. On n'y disposait en tout et pour tout que d'une seule bible usée jusqu'à la corde, mais cela suffisait amplement puisque de toute façon personne ne savait lire. Personne, sauf mon père, lequel n'avait pas chômé pendant ses quatre ans de scolarité chez les missionnaires. Et l'on ne tarda pas à s'en apercevoir. Comme il était exclu de se voir affecter un prêtre, les membres de la communauté se chargeaient eux-mêmes du sermon, à commencer par l'oncle Emmanuel, qui faisait montre d'une belle éloquence. Quant à la lecture des Évangiles, elle fut confiée à papa. Lui qui n'était rien se retrouva soudain tous les dimanches au cœur de la cérémonie. Bien que haut comme trois pommes, le petit David avait accès à la « Vérité », à la parole de Dieu.

De fil en aiguille, les hommes plus âgés se mirent à le consulter pour qu'il les aide dans des matières où il fallait savoir à peu près lire ou écrire. Son instruction, alliée à sa nature serviable, en firent rapidement un personnage clé du quartier. Très vite, il apprit à détecter les vrais besoins de tous ces gens qui le sollicitaient au quotidien. Problèmes de cœur, de travail, d'argent... plus rien n'avait de secrets pour lui.

Et puis un jour, papa David est tombé amoureux d'une des filles de son oncle, Patricia, celle qui allait devenir maman Patty. Lorsqu'elle a accouché de Moïse, elle devait avoir dans les dix-huit ans, mon père, environ seize (au Nigeria, il arrive souvent que les naissances ne soient inscrites que plus tard à l'état civil, voire, comme dans mon cas, pas du tout). Quoi qu'il en soit, Emmanuel les autorisa à rester dans sa maison après leur mariage. Mais mon père, jeune et fougueux, commit une erreur : il mit enceinte la sœur de Patty, Felicitas. Là encore, l'oncle exigea qu'il l'épouse, ce qui fait que papa David, à dix-sept ans, avait déjà deux femmes, lesquelles lui avaient entretemps donné trois garçons. Sachant qu'il lui serait difficile de subvenir aux besoins de sa famille dans cet environnement peu prospère, oncle Emmanuel le chassa afin qu'il aille tenter sa chance ailleurs.

C'est à ce moment-là qu'il fit la connaissance d'un Afro-Américain new-yorkais, de passage à Lagos, dont les ancêtres étaient originaires du Nigeria. Aux yeux de mon père, cette rencontre fut un véritable signe des cieux. Il fit part à cet étranger de sa conviction selon laquelle Jésus n'était pas blanc et, pour la première fois, s'entendit répondre que beaucoup la partageaient.

Papa David emprunta alors à l'homme de New York une modique somme d'argent qui lui servit à bâtir un lieu de culte, juste devant la case où il s'était installé avec les siens. Dans le jardin, si l'on peut dire – bien que l'expression soit quelque peu usurpée, ce petit lopin de terre poussiéreux abritant également un poulailler, un cochon et plusieurs chèvres. C'étaient les années où le Nigeria s'émancipait de la puissance coloniale britannique et papa David, face à ses compatriotes, sut trouver les mots justes : grâce à lui, leur couleur de peau ne faisait plus d'eux des hommes de seconde catégorie.

L'Américain avait expliqué à mon père que les communautés religieuses de sa ville se finançaient grâce aux souscriptions régulières de leurs membres, les paroissiens consacrant ainsi jusqu'à 20 % de leurs revenus à l'entretien des églises. Aussi papa David, comme on commençait alors à l'appeler avec respect, et ce malgré ses vingt ans à peine révolus, décida-t-il d'adopter à son tour ce système. Il limita toutefois la contribution à 5 %, ce qui ne devait pas représenter grand-chose, dans la mesure où, à l'époque, presque personne ne travaillait.

La famille existait déjà depuis plus d'un an lorsqu'une jeune femme du nom de Yemi se présenta à l'un des offices du dimanche matin. Depuis sa naissance, elle souffrait d'une paralysie des membres inférieurs et devait donc être portée pour se déplacer. Maman Patty nous a souvent dit que personne, parmi la foule ivre de chants, n'avait vu avec précision ce qui s'était passé. Mais toujours est-il que Yemi la paralytique se retrouva soudain sur ses jambes, au beau milieu des danseurs.

À partir de ce jour, la chapelle fut littéralement prise d'assaut. Chaque semaine, les fidèles étaient plus nombreux et débordaient dans le voisinage ; on emmenait ses malades ou ses infirmes pour que papa les guérisse. Les gens ayant commencé à donner plus qu'ils n'étaient censés le faire, celui-ci fut bientôt en mesure d'acheter un nouveau terrain et de construire un abri permettant d'accueillir tout le monde. Sa réputation et sa théorie du Christ de couleur se répandirent comme une traînée de poudre.

Mon père avait hérité de l'oncle Emmanuel l'habitude, très conforme aux principes de la charité chrétienne, de donner à manger aux enfants pauvres. Ce rituel était organisé après chaque office et, sans en être la cause, il n'a sans doute pas manqué de contribuer à la multiplication des fidèles. Pour beaucoup, c'était là en effet la seule occasion de prendre un repas digne de ce nom.

Un jour, à propos du miracle de Yemi survenu trente-cinq ans auparavant, maman m'a dit : « Si ça se trouve, elle n'était pas vraiment handicapée, mais avait juste peur de se lever. Quand elle les a tous vus danser et faire la fête, ses craintes se sont évanouies. »

Je suis tout à fait de son avis. C'est bien cela le vrai miracle qu'a accompli mon père. Tous ceux qui ont croisé son chemin, il les a libérés de leur angoisse. Du moins tant qu'il en a eu la force. Dans les histoires de papa David qui circulent au sein de ses *familles*, il est dit qu'il faut être sûr de soi, pour que Dieu vous aide à réaliser de grandes choses. C'est un précepte qui donne de l'énergie à bien du monde.

Mon père n'était pas un papa poule qui vous prenait sur ses genoux et vous cajolait. Il était en même temps là pour tous et pour personne en particulier. Sa vie était d'une certaine manière trop « vaste » pour nos difficultés quotidiennes. Mais son amour paternel ne m'a pas trop manqué. Il est vrai que je n'ai jamais rien connu d'autre.

6
Mes nombreuses mamans

Je suis née cinq mois après l'arrivée de ma mère dans le harem. Cela n'a pas été une mince affaire car, comme elle n'a cessé de le rappeler par la suite, j'avais choisi le jour le plus chaud de l'année pour venir au monde. Mais il faut dire qu'elle avait déjà près de quarante-trois ans et que son premier accouchement remontait à dix-huit ans. Chez nous, les femmes enceintes ne sont pas censées se reposer avant le moment fatidique et maman avait passé une bonne partie de la journée à repeindre les murs de la nouvelle maison commune. Déterminée à se plier à toutes les coutumes du harem, elle avait même poursuivi son labeur après que les contractions eurent commencé. Ce n'est que lorsqu'elle eut perdu les eaux qu'on la conduisit dans sa chambre.

En déménageant de Munich à Lagos, ma mère avait fait venir un lit double en chêne pour pouvoir accueillir d'éventuels visiteurs. C'est dans ce lit que je suis née. Aucun médecin n'étant jamais présent, l'usage voulait que ce soit maman Felicitas, laquelle avait elle-même mis au monde six enfants, qui officie en tant que sage-femme. Malgré son savoir-faire et sa grande expérience en la matière, l'opération s'éternisa. Tandis que les assistantes se pressaient à son chevet et que Felicitas lui massait le ventre, on demanda à ma mère de s'accroupir à côté du lit, de s'allonger, puis de s'accroupir de nouveau. La douleur devint bien vite insupportable, mais il ne se passait toujours rien. Comme nous l'avons su par la suite, je me présentais par le siège et j'étais restée coincée. Une configuration qui dépassait les compétences de maman Felicitas.

Après de longues heures d'efforts infructueux, celle-ci réussit à me saisir par une jambe et me tira sans ménagement hors du ventre de maman. Puis, pour me libérer les voies respiratoires du liquide amniotique et de la glaire, elle me fit tournoyer en l'air jusqu'à ce que je pousse mon premier cri. Malgré tout l'amour que je lui porte, cette méthode était pour le moins peu orthodoxe et brutale. D'ailleurs, ma mère n'en sortit pas indemne. Bien que déchirée en plusieurs endroits, elle ne fut pas recousue et ses cicatrices la firent longtemps souffrir.

En ce qui me concerne, les conséquences n'apparurent que plus tard : je ne suis jamais parvenue à me mettre à quatre pattes et n'ai commencé à marcher que très tard. En raison du traumatisme de ma naissance, j'avais une hanche en mauvais état et je boitais. Lorsqu'on s'en est enfin rendu compte, il était trop tard pour y changer quoi que ce soit. Ma vie aurait pourtant pris une tout autre tournure sans ce handicap. Mais les regrets ne servent à rien et je peux m'estimer heureuse de m'en être sortie à si bon compte.

L'autre « sage-femme » qui participa à l'accouchement de ma mère était Bisi, la plus gentille de mes mamans. Quatrième épouse de mon père, elle est un peu plus jeune, petite et ronde que Felicitas, malgré la prédilection de papa David pour les femmes minces. Elle appartient à la tribu des Yoruba, installée dans les environs de Lagos. Bien que celle-ci soit chrétienne, Bisi y a été initiée à la magie et à la sorcellerie, autant de pratiques que mon père refusait en bloc (le « miracle » de Yemi, même s'il lui avait apporté tant de nouveaux paroissiens, le gênait d'ailleurs un peu car il ne voulait en aucun cas apparaître comme un prêtre vaudou). C'est pourquoi, si l'on voulait faire appel aux « talents » de Bisi, il fallait le faire en cachette, sa faculté la plus spectaculaire étant de redonner vie aux plantes qui dépérissaient en leur parlant les nuits de pleine lune.

Bisi m'a toujours été d'un grand réconfort dans les moments difficiles. Si elle refusait de se mêler aux disputes, elle savait en revanche trouver les mots justes et excellait dans l'art de guérir les blessures de l'âme. D'une gaieté à toute épreuve, elle irradiait une joie de vivre communicative. Plus qu'une amie fidèle, elle restera à tout jamais ma seconde mère.

En m'apercevant pour la première fois, Bisi s'est tout de suite exclamée que je serais une petite fille adorable. C'était vraiment fort indulgent de sa part car j'étais toute flétrie, une curieuse fourrure noire recouvrant ma peau laiteuse parsemée de rougeurs et de bleus. Ma mère n'ayant pas la force de s'occuper de moi, ce fut maman Bisi qui s'en chargea avec amour, nous aidant toutes deux à passer ces premiers temps difficiles à grand renfort de remèdes à base de plantes.

À chaque naissance, papa honorait le nouveau venu d'une visite prolongée. Mais la cérémonie du baptême n'avait lieu que quinze jours plus tard, une fois écarté le risque de mort néonatale. À en juger par le nom qu'il me donna dès notre première rencontre, il a dû, contrairement à son habitude, être plutôt horrifié par mon apparence. « Dieu l'a voulu ainsi », c'est ce que Choga signifie en substance dans notre dialecte, ce qui traduit pour le moins une certaine contrariété. En d'autres termes, cela veut dire :

je n'y suis pour rien ! Quand je pense qu'en plus je fus la première à être baptisée, avec trois autres bébés, dans la nouvelle maison commune...

Maman Bisi devint ma marraine, ainsi que maman Ada. Très différente de la première, celle-ci est presque maigre et a d'énormes mains toutes calleuses. Travailleuse acharnée, elle a même participé à la construction de certaines maisons du harem. Peu loquace, elle fait cependant preuve d'une grande capacité d'écoute et finit toujours, au cours d'une conversation, par prononcer une phrase résumant avec brio tout ce qui a été dit. Ceux qui ne peuvent attendre qu'elle prenne la parole la considèrent souvent comme un peu bête, ce qui est très injuste. Mais en fait, je crois que l'opinion des autres à son sujet l'indiffère. Ada est originaire des terres arides du nord du pays et sa famille n'a cessé de se déplacer avec son troupeau à la recherche de pâturages. Peut-être est-ce cela qui lui a appris la patience.

Enfant, je croyais que Bisi, compte tenu de son physique, était plus jeune qu'Ada. Ce n'est que plus tard que je compris que c'était l'inverse. Papa avait épousé Ada quatre ans à peine avant maman. Elle est sa vingt-huitième femme et doit avoir à présent une cinquantaine d'années.

Mais revenons-en à moi. L'optimisme de Bisi se révéla fondé et le visage pâle tout velu que j'étais ne tarda pas à se transformer en une petite fille très mignonne. Je rencontrai toutefois de sérieux problèmes de poids. Il faut dire que, dans le harem, ce n'était pas la nourriture, fort peu diététique de surcroît, qui manquait. Chaque jour, les *queens* laissaient libre cours à leurs talents culinaires. Parmi mes plats préférés, il y avait la purée d'igname aux bananes passée au four, l'ananas nappé de lait et les cacahuètes rôties accompagnées de pain blanc. Sans oublier le chocolat chaud préparé avec du lait et beaucoup de sucre que je continue d'adorer, même si j'essaie aujourd'hui de me restreindre.

Grâce aux soins attentifs de Bisi, notre verger donnait en outre de beaux fruits savoureux. Au total, je me retrouvais donc à grignoter à longueur de journée. Et cela se voyait : j'étais ronde comme une bille, au point que je donnais l'impression de rouler lorsque je me déplaçais. Comme j'avais une voix claire et haut perchée, mes nombreuses mamans et sœurs prenaient plaisir à me chatouiller et, plutôt que de me faire faire de l'exercice, me portaient tout le temps sur leur dos.

J'étais devenue la mascotte du harem et on ne cessait de me pomponner. Mes cheveux n'étant pas crépus mais soyeux et bouclés, les autres m'inventaient constamment de nouvelles coiffures, avec nattes et ornements divers. J'aimais bien ça et me tenais tranquille...

La seule qui ait vu en moi autre chose qu'une jolie poupée était Ada. J'avais environ deux ans lorsque son enfant unique, une petite fille de six ans, mourut d'une pneumonie. Dès lors, en sa qualité de marraine, maman Ada se sentit d'autant plus légitimée à s'occuper de moi. Elle fut la première à s'apercevoir de mon problème : j'avais une jambe plus courte et moins musclée que l'autre. Ada se mit alors à me faire faire de la gymnastique et commença à surveiller mon alimentation. Malheureusement, ses efforts se révélèrent insuffisants : mon problème à la hanche était déjà trop avancé. Avec l'aide d'Ada, je pris toutefois conscience que mes jambes étaient destinées à me porter, ce qui n'était déjà pas si mal, après tout.

De mes jeunes années dans le harem, je n'ai gardé que d'excellents souvenirs. J'évoluais dans mon univers à moi, constitué de perles de verre dont je faisais des colliers, de morceaux de bois que je transformais en poupées et de chutes de tissu à partir desquelles je leur confectionnais des vêtements. Avec des capsules de bouteilles ou des languettes de canettes vides, je concevais en outre des jeux de société très imaginatifs. Souvent, mes sœurs et moi imitions les soins de beauté que se prodiguaient les *queens* : nous nous peinturlurions le visage avec notre terre couleur ocre diluée dans un peu d'eau ou bien avec de la craie que nous réduisions à l'état de poudre. Comme nous voulions sentir aussi bon qu'elles, nous utilisions également en cachette et avec la plus grande parcimonie les parfums de nos mères.

Parmi les nombreux enfants du harem, mes camarades de jeu préférées étaient Efe et sa sœur Jem, les deux filles cadettes de maman Bisi. La première avait deux ans de plus que moi et la seconde, quatre. Les appartements de ma mère étaient situés dans la même maison que ceux de maman Ada et de maman Bisi. Ils étaient reliés par un escalier extérieur très raide, fort propice à nos jeux. Nous y fixions une corde à laquelle nous grimpions et qui nous servait de balançoire. Parfois, nous nous lancions des défis consistant à sauter du plus haut niveau possible ou bien nous rejouions l'histoire de Rapunzel[1] (maman avait traduit quelques contes allemands dont elle faisait la lecture aux enfants du harem). Jem voulait toujours être la pauvre Rapunzel et Efe, le prince. À moi, il ne restait donc que le rôle de la méchante sorcière.

---

1. Conte traditionnel allemand où une petite fille est vendue par sa mère à une sorcière qui l'enferme dans une tour inaccessible. Grâce à un prince charmant dont elle tombe amoureuse, elle parviendra finalement à s'échapper. (N.d.T.)

Comme l'étage supérieur surplombait les murs d'enceinte du harem, l'escalier nous servait également de poste d'observation et nous reliait à l'extérieur. L'une de nos voisines était une Allemande qui habitait seule dans une vaste demeure ; nous nous imaginions qu'il s'agissait d'une sorcière qui, comme dans le conte, enlevait les enfants à leurs parents.

Souvent, nous étions également les premières à découvrir qu'une nouvelle femme allait faire son entrée dans le harem. Plus la notoriété de mon père s'accroissait, plus ses nouvelles épouses semblaient riches. Je me souviens ainsi tout particulièrement de l'arrivée d'une femme en habits précieux, dont les affaires avaient dû être acheminées par deux voitures. Mais même cette *queen*-là dut se soumettre à nos usages en matière d'habillement.

Ce genre d'événement mis à part, nos journées se déroulaient dans la plus grande quiétude. Réveillées dès le lever du soleil, nous nous lavions dans de grandes bassines, puis nous joignions à la prière et au petit déjeuner en compagnie de nos mères. Ensuite, nous étions séparées en trois groupes, respectivement chargés de nettoyer la maison, préparer le repas de midi et travailler dans le domaine. La répartition de ces missions, que nous assurions à tour de rôle chaque semaine, incombait à maman Felicitas, qui était responsable de l'ensemble des questions d'organisation.

Le matin, les plus âgées d'entre nous allaient à l'école, les cours ayant lieu dans la maison commune. Pendant ce temps, les plus jeunes avaient le droit de jouer ou contribuaient, sous la surveillance de leurs mamans, aux travaux de jardinage ou d'entretien des cours extérieures. Après un déjeuner frugal pris vers onze heures et constitué le plus souvent d'une bouillie et d'un bol de riz, nous faisions une longue sieste et écoutions les *queens* nous raconter des histoires. Vers quatre heures de l'après-midi, le harem reprenait vie. Nous buvions du thé et grignotions quelque chose. Puis les aînées retournaient en classe ou faisaient leurs devoirs, tandis que les autres allaient jouer. La journée s'achevait à vingt heures par une prière et un dîner pris en commun. Dès vingt et une heures, vingt et une heures trente, tout le monde était couché.

Chaque semaine se déroulait selon ce même schéma immuable, sauf le samedi, où nous nous lavions à fond en prenant un bain collectif, tandis que les femmes s'apprêtaient mutuellement. Pour ma part, j'avoue que je n'appréciais guère ce récurage hebdomadaire effectué à l'aide de brosses aux poils drus destinées à rendre notre peau plus douce. Il me semblait que ma mère s'affairait sur mon corps comme si elle avait voulu le débarrasser d'un coup de toute la crasse des jours écoulés et de celle de la semaine à venir. Puis nous nous faisions oindre avec de l'huile et masser. En revanche, j'adorais les samedis soirs et les dimanches, quand nous nous rendions dans la maison commune habillées de nos robes blanches toutes propres. C'était en général la seule occasion de voir notre père qui, vêtu de son habit clair et lumineux, allait de l'une à l'autre.

Papa David avait une belle voix grave qui me plaisait beaucoup. La plupart du temps, il s'exprimait en de longs monologues et je ne comprenais pas très bien ce qu'il disait. Mais ce n'était pas grave : mes sœurs et moi nous laissions bercer par son murmure apaisant jusqu'à nous endormir. Souvent, nous ne nous réveillions que lorsque tout le monde se mettait à taper dans les mains, à chanter et à danser. C'était la partie de la fête que nous préférions.

Le rassemblement dominical était aussi pour nous la seule occasion de voir des inconnus. Les visiteurs pénétraient dans la salle commune par une porte dérobée dont nous n'avions pas le droit de nous approcher. Pour la circonstance, ces gens du voisinage, que nous appelions avec respect « nos hôtes », s'habillaient en blanc, tout comme nous. Parmi eux, il y avait aussi quelques hommes. Mais jamais aucun n'osa même poser son regard sur l'une des *queens.* Ce qui n'aurait d'ailleurs eu aucun sens, leurs traits étant dissimulés par des voiles. Après la messe avait lieu la distribution de nourriture, un rituel réservé aux plus anciennes des *queens*, même si tout le harem avait participé à la préparation des repas.

Papa David n'ayant effectué que quatre années d'école primaire, il veillait avec soin sur la formation de sa progéniture. Dès que ses fils atteignaient l'âge de six ans, il les envoyait dans les différents internats du pays, ce qui leur garantissait une éducation de qualité. Nombreux sont mes demi-frères qui ont fait des études supérieures ou se sont engagés dans l'armée. Certains d'entre eux occupent même aujourd'hui des fonctions politiques. Quant à nous autres, filles, qui n'avions pas le droit de quitter le harem, nous devions nous contenter de l'enseignement qui y était dispensé, ce qui ne nous empêchait pas d'être obligées de porter un uniforme. Celui-ci était constitué d'une jupe qui nous arrivait aux genoux, d'une blouse à manches longues et d'un fichu que nous portions très serré autour de la tête. Par souci d'humilité, nous devions rester pieds nus pour sentir le contact du sol poussiéreux qui nous avait engendrées et auquel nous retournerions le moment venu. Pour moi, c'était une aubaine, car je trouvais cela plus confortable.

Comme nous étions assez nombreuses, parfois plus de trente, l'existence de notre petite école privée se justifiait pleinement. Quel que soit notre âge, nous avions toutes cours ensemble. Maman Nita, qui était institutrice diplômée, nous traitait avec une grande sévérité. Mais c'était nécessaire, car sinon nous aurions été trop dissipées. Les aînées aidaient les plus jeunes et, de temps en temps, une autre maman prenait part à l'enseignement. Ainsi Bisi donnait-elle parfois des cours de biologie et ma mère, lorsqu'elle n'était pas trop occupée par ailleurs, des cours de mathématiques approfondies.

Quant à maman Patty, qui avait une voix superbe, elle nous apprenait la musique et les chants religieux que nous interprétions à la chorale du dimanche. Étant plutôt douée en la matière, j'étais régulièrement désignée comme soliste. La lueur qui s'allumait dans le regard de papa lorsque je chantais me remplissait de fierté.

J'aimais bien l'école, sans doute parce que j'avais certaines facilités. Mon amie Jem à l'inverse, bien qu'elle eût quatre ans de plus que moi, essayait d'y échapper par tous les moyens. Chaque matin, à l'heure dite, elle allait se cacher et je partais à sa recherche.

« *Sister* Jem ! Où es-tu ? Viens en cours ! », m'écriai-je alors à travers le *compound*, ce qui me valut d'être qualifiée de « pion » par mes sœurs. Comme j'étais en plus très appliquée, j'eus bien vite une réputation de fayot. En réalité, je souffrais d'être trop grosse et de boiter, et cherchais à compenser ces tares par mon assiduité. Lasse que je vienne sans cesse la débusquer, Jem finit par trouver un moyen de m'en dissuader à tout jamais : elle se mit à me taquiner au sujet de ma jambe, attirant au passage l'attention des autres sur cette infirmité.

Aucune d'entre nous n'avait plus de douze ans. Dès leurs premières règles, les filles quittaient la maison des enfants pour emménager dans ce que l'on appelait le « poulailler », où elles étaient préparées à leur futur rôle d'épouse et de mère. En général, elles se mariaient au plus tard deux ou trois ans après.

Jusqu'à l'âge de six ans, tous les enfants avaient le droit de vivre chez leur mère naturelle, à la condition que celle-ci n'ait pas un nouveau bébé. Si tel était le cas, l'aîné était pris en charge par une autre maman, afin que la première puisse se consacrer à son nourrisson. De cette manière, les femmes se déchargeaient les unes les autres. Ma mère ne risquant plus de tomber enceinte, papa David décida de lui confier d'importantes responsabilités à l'extérieur du harem, sur lesquelles je reviendrai plus tard. Mais elle ne me manqua pas trop car, dans l'intervalle, Bisi et Ada étaient devenues mes mamans préférées et je me sentais très bien avec elles.

7
Des murs bien hauts

Le harem était construit de telle façon que c'étaient toujours les demi-sœurs dont les maisons se faisaient face qui jouaient ensemble. Malgré cela, je connaissais presque toutes les filles par leur nom. Et, bien sûr, toutes savaient qui j'étais. L'une des bâtisses était située un peu à l'écart, sa cour donnant sur le mur d'enceinte. Ses habitantes avaient donc tendance à rester entre elles. Mes trois mamans ne voyaient pas d'un très bon œil que je m'y égare avec Jem et Efe. Elles voulaient éviter les disputes inutiles, car c'était là que vivait maman Idu, la femme que papa David avait épousée peu avant ma mère.

Petit à petit, le bruit se répandit qu'Idu possédait une boîte magique qui diffusait des images animées. À l'époque, nous n'avions pas même de radio et ignorions jusqu'à l'existence de la télévision. Pourtant la rumeur se confirma et le harem entier s'enthousiasma pour cet appareil étrange qui permettait à des gens que nous ne connaissions pas de s'adresser à nous, et devant lequel les femmes et les enfants de la maison d'Idu passaient le plus clair de leur temps. En ce qui me concerne, cette fascination fut éphémère, car ces gros visages sérieux qui se dessinaient sur l'écran ne tardèrent pas à m'ennuyer. Le plus souvent, ils présentaient en effet des programmes scolaires pour apprendre à écrire ou à calculer, et je ne comprenais pas pourquoi Idu suscitait tant de jalousie.

Un jour, en plein après-midi, mon père fit irruption dans la cour où nous étions toutes rassemblées. Il était bien rare de le voir sur le territoire des femmes. Habituellement, quand il désirait contacter l'une de ses *queens*, il envoyait le premier enfant qui se présentait la chercher.

Papa David se dirigea droit sur la télévision et la débrancha, suscitant aussitôt un tonnerre de protestations. Ce fut un chaos indescriptible. Papa, quant à lui, se tenait debout, impassible et silencieux, au milieu des *queens* qui gesticulaient. De toute façon, s'il avait dit quelque chose, sa voix aurait été couverte par la clameur.

Tout à coup, il s'empara d'une chaise et la tira jusqu'au mur d'enceinte. Puis il monta dessus en tenant l'appareil à bout de bras et le lança par-dessus le mur. Stupéfaites, nous entendîmes une explosion et vîmes de la poussière s'élever dans les airs. Tous les regards se tournèrent vers papa David. Jamais je n'oublierai ce moment : lui, d'ordinaire si distancié, si plein de majesté, venait de résoudre un problème de ses propres mains...

— La parole de Dieu ne sort pas de ce genre de boîte, gronda-t-il. C'est le diable qui s'y exprime, avec toute sa perfidie.

Maman Idu, qui devait avoir le même âge que moi aujourd'hui, s'avança vers lui, une expression de défi dans le regard. Deux autres *queens* tentèrent de la retenir, en vain.

— Qu'est-ce que tu racontes ? siffla-t-elle en posant son index sur le torse de papa David. Ce n'était pas le diable que nous écoutions !

Idu avait osé le contredire ! Un silence de mort s'installa.

— Ton père ne t'a pas appris à obéir à ton mari ? demanda mon père sur un ton calme.

De nouveau, les amies de maman Idu voulurent intervenir. Elle venait de commettre une faute très grave. La parole de papa David avait force de loi, personne n'osait la mettre en doute. Mais visiblement, Idu n'en avait cure.

— Je suis trop jeune pour me retrouver exclue du monde ! rugit-elle.

Comme j'étais très petite, je ne compris pas ce qu'elle voulait dire. Mais la réaction horrifiée de l'assemblée me suffit à prendre la mesure de la situation. Même par la suite, je n'ai jamais entendu quiconque critiquer le harem.

— Vous comprenez maintenant ce que je veux dire ? commença papa David en fixant ses épouses les unes après les autres. Satan a pris possession de maman Idu. Elle ne s'est pas contentée de m'offenser, mais a péché contre toute notre communauté. Elle n'a plus rien à faire parmi nous.

Soudain, son regard s'arrêta sur moi. J'eus un coup au cœur. L'espace d'un instant, je crus qu'il voulait me punir à mon tour parce que j'avais moi aussi écouté la voix du diable.

— Choga, va chercher maman Patty et maman Felicitas. Qu'elles viennent aider Idu à ranger ses affaires. Elle doit nous quitter dès aujourd'hui. Allez, dépêche-toi !

Je pris mes jambes à mon cou et allai prévenir les deux *queens* les plus anciennes. Je les trouvai en compagnie de ma mère, occupées à quelque tâche administrative. Elles laissèrent tout en plan et se précipitèrent sur les lieux du scandale. Je voulus les accompagner, mais maman me le défendit, m'empêchant ainsi d'assister au départ d'Idu. Plus tard, mes sœurs restées présentes me racontèrent qu'elle avait imploré papa de lui accorder son pardon, mais que celui-ci s'était montré inflexible. Chassée du harem, la rebelle dut en outre abandonner son fils d'à peine quatre ans ; sa place était auprès de son père.

Je n'avais aucune idée de ce qui attendait Idu hors de ces grands murs contre lesquels elle avait voulu s'élever et que je considérais pour ma part comme une protection salutaire. Presque dix ans plus tard, je l'ai revue. La pauvre. Car pendant les temps difficiles qui avaient suivi son renvoi du harem, elle était précisément tombée sur celui que mon père avait voulu, avec ce coup d'éclat, bannir du harem : le diable en personne.

Papa David était prêt à tout pour nous préserver du monde extérieur. Du moins en ce qui concernait les choses de l'esprit, les bien matériels franchissant quant à eux sans encombre nos murs surmontés d'éclats de verre. Grâce à ses richesses pétrolières, le Nigeria était devenu un pays dont la prospérité se faisait sentir jusque dans notre univers clos. Certaines de ses épouses s'étant équipées de réfrigérateurs, mon père dut en doter l'ensemble du harem afin que personne ne se sente lésé. De la même manière, lorsque les premiers ventilateurs firent leur apparition, il fut contraint d'en installer dans toutes les chambres. Deux ans après avoir sanctionné Idu, il ne put d'ailleurs même plus s'opposer à la présence de la télévision, se contentant de nous cantonner à deux heures de programmes éducatifs par jour. Un régime qui, il est vrai, ne nous séduisait guère.

L'épisode Idu coïncida plus ou moins avec ma première sortie du harem. Mon boitement ne cessant de s'accentuer, j'avais été autorisée à me faire examiner en ville. Le jour dit, maman m'habilla et me conduisit à l'une des grosses voitures de mon père. C'est là que je réalisai soudain qu'il y avait aussi des hommes qui travaillaient au service de papa David et habitaient dans les environs. Ils constituaient en quelque sorte sa garde rapprochée (ainsi que la nôtre). Bien que j'eusse déjà aperçu la route qui partait du harem, je ne pus m'empêcher de m'exclamer :

— Qu'est-ce que c'est sale !

— Le monde est comme ça, Choga Regina, répondit ma mère en me prenant la main. C'est ainsi.

Nous parcourûmes un assez long trajet qui nous conduisit dans des quartiers très différents du nôtre, où les maisons n'étaient pas ceintes de murs. Partout, des indigents étaient allongés à même le sol ; au milieu des rues, l'eau croupie s'accumulait et dégageait une odeur infecte. J'étais horrifiée. Comme nous étions bien dans le grand *compound* de papa David !

Maman m'avait organisé un rendez-vous avec une doctoresse indienne dans la maison d'Amara, son amie dont j'avais fait la connaissance à l'occasion d'une de ses visites au harem. Mon père n'aurait pas toléré que je me rende dans un cabinet médical normal. D'où ce procédé compliqué, consistant à faire appel à un intermédiaire. La consultation se déroula en présence d'Amara et de ma mère. Je n'ai aucune idée de ce qui en ressortit mais, à ce stade, cela m'intéressait beaucoup moins que l'aspect de la maison d'Amara. Je n'avais jamais rien vu de pareil. Il n'y avait même pas de barreaux aux fenêtres ! Jusque-là, leur présence chez nous ne m'avait d'ailleurs jamais vraiment frappée. « C'est très moche ici », lâchai-je à brûle-pourpoint. Un mot d'enfant qu'Amara me rapporta bien des années plus tard, alors que j'étais installée chez elle.

Aujourd'hui, je ne parviens pas à comprendre comment j'ai pu aimer vivre enfermée. Mais c'était dans une autre vie, celle d'une petite fille naïve qui voulait rester blottie contre sa mère à l'abri de murs hérissés de pointes. Une petite fille persuadée que cela la préserverait des dangers du monde extérieur.

À présent, je considère que même une prison dorée demeure ce qu'elle est, à savoir une prison. Mon père, de son côté, justifiait les mesures de sécurité qu'il nous imposait de la manière suivante : « Beaucoup de gens désapprouvent la façon dont nous vivons. Ils ne comprennent pas que nous formons une communauté exceptionnelle fondée sur l'entraide mutuelle. Et que c'est dans cette solidarité que nous puisons la force d'aider notre prochain. Dehors, dans la ville, règne un égoïsme exacerbé qui empoisonne la vie des gens. Nous devons nous en protéger. » Après avoir vu la misère de Lagos, j'aurais eu mauvaise grâce à mettre en doute ces propos.

Lors de cette première escapade, maman avait toutefois constaté que ma crainte de la vie « réelle » était devenue déraisonnable. Aussi commença-t-elle à m'emmener de temps à autre avec elle pour aller voir Amara. Mais cette « thérapie » ne fut guère efficace. C'est sans doute pourquoi elle se mit à me parler davantage de son existence passée en Allemagne, dans cette ferme entourée de champs verdoyants. Elle me parla de ce pays lointain peuplé d'enfants qui, l'hiver, faisaient de la luge dans les montagnes enneigées. Avait-elle le mal du pays ? Sûrement. Mais elle avait ainsi trouvé un moyen de l'apaiser.

8
Un petit coin d'Allemagne

Parfois, j'essayais de m'imaginer le pays où vivait ma sœur Magdalena. Mais comment aurais-je pu faire ? Je ne savais même pas à quoi ressemblait l'herbe verte !

— Veux-tu que je t'en procure ? me demanda maman.

— Où vas-tu en trouver ?

— Je vais te rapporter des graines d'Allemagne.

— Moi aussi, je veux aller en Allemagne ! m'écriai-je.

Ce souhait-là, ma mère ne voulut toutefois pas l'exaucer. À présent, je sais que cela n'aurait même pas été possible, puisque je n'avais pas de papiers. Mon père n'avait en effet jamais déclaré ma naissance. Mais, comme je l'appris plus tard, ce n'était pas la seule raison. En réalité, papa David craignait que nous ne revenions plus, alors que, si je restais au harem, sa trente-troisième femme n'oserait jamais prendre la fuite.

— La méfiance de papa David était-elle justifiée ? demandai-je à ma mère, une fois adulte.

— Je l'aimais et je m'étais fort bien habituée à la vie dans le harem, me répondit-elle. Je n'avais donc aucune raison de retourner m'installer en Allemagne. En plus, ton père projetait de lancer un grand projet agricole auquel j'étais appelée à participer.

Maman fit donc le voyage seule. Dans son testament, mamie Maria avait réparti ses biens entre elle et son frère. Oncle Xaver héritait de la ferme, ma mère, des champs. Cela ne l'étonna guère : elle ne s'était pas attendue à grand-chose. Pourtant, lors de son séjour en Bavière, elle apprit que ces terres a priori sans valeur étaient appelées à accueillir un parcours de golf. Elles représentaient donc désormais une véritable fortune. Aux yeux de sa famille, il n'était dès lors pas question de les céder à la « femme infidèle » sans livrer bataille. Aussi dut-elle, au lieu des quinze jours prévus au départ, rester plus de trois mois absente pour régler la succession.

À son retour, elle me rapporta un carton entier rempli de graines. Maman Bisi m'aménagea un lopin de quatre mètres sur quatre entre notre maison et le garage des voitures. Ma tâche consistait à veiller à ce que cette parcelle de terre demeure toujours humide, ce qui, dans la période de sécheresse que nous traversions, n'était pas une mince affaire. Trois fois par jour, je l'arrosais avec soin. Pour délimiter mon petit coin d'Allemagne, je l'entourai de cailloux. Quelle ne fut pas ma joie lorsque je vis apparaître un léger duvet verdâtre !

Il va sans dire que je m'attendais à ce que poussent à leur tour les marguerites dont Magdalena avait constitué la couronne qu'elle portait sur la photo. Mais malgré tous mes efforts, il ne se passa rien et, qui plus est, l'herbe ne tarda pas à jaunir. Puis je tombai malade et dus délaisser ma pelouse pendant une semaine. Ma déception fut immense : le soleil africain avait eu raison de mon rêve. Je pouvais y déverser autant d'eau que je voulais, il n'y avait plus rien à faire et nos chèvres se chargèrent des quelques brins clairsemés qui subsistaient.

Maman me prit dans ses bras : « La prochaine fois que je vais en Allemagne, je t'emmène avec moi », me promit-elle. « Comme ça, tu pourras courir tant que tu voudras sur de vraies prairies. »

Un an plus tard, elle retourna dans son pays, mais, de nouveau, je n'eus pas le droit de l'accompagner. J'ignore si la méfiance de papa David nuisait à leur relation, mais, en tout cas, ma mère ne laissait rien paraître. Pourtant, le fait que j'aie une partie de mes racines en Allemagne comptait beaucoup à ses yeux. C'est d'ailleurs pour cela qu'elle avait commencé très tôt à m'enseigner sa langue maternelle. Elle m'apprit de nombreuses chansons pour enfants, ainsi que des poèmes tirés des livres qu'elle avait rapportés lors de son deuxième voyage. Efe et Jem, mes sœurs préférées, se moquaient souvent de moi lorsque je récitais à mi-voix ces vers pour elles obscurs. Mais cela m'était égal : j'étais très fière de les connaître. Depuis, je les ai malheureusement presque tous oubliés. Il n'y en a qu'un dont je me souvienne : *Wer reitet so spät durch Nacht und Wind...* Cette histoire d'un père et de son fils mourant me faisait froid dans le dos. Quant aux chansons, je m'en souviens mieux. Aujourd'hui, mon fils Joshua les chante à son tour, mais je ne suis pas certaine qu'il en comprenne les paroles.

J'avais un peu moins de huit ans lorsque ma mère s'attela à son grand projet agricole. L'importance inespérée de son héritage alliée aux velléités de développement que papa David nourrissait en permanence nous ouvraient de nouvelles perspectives.

Mon père avait jeté son dévolu sur une exploitation à ses yeux fort prometteuse qu'il avait découverte au nord-est d'Abuja, une ville située à mille kilomètres de Lagos et devenue en 1976 la nouvelle capitale du Nigeria. Là-bas, à Jeba, aux confins du plateau de Jos, une ferme délabrée était à vendre et papa David, dont les relations s'étendaient désormais au pays tout entier, était convaincu que cette localisation constituait un atout considérable. D'après lui, la métropole naissante n'allait pas manquer d'attirer des millions de gens, lesquels auraient bien besoin de se nourrir. Le lancement d'une production agricole de masse dans la région se révélerait sans nul doute un investissement lucratif.

Mon père exposa son idée à maman et rencontra un écho enthousiaste, les terres vallonnées de Jeba étant de surcroît très fertiles et d'une beauté à couper le souffle. Même si la ferme ne fut pas achetée avec son argent, c'est tout de même papa David qui en devint propriétaire. Aussitôt, il y envoya une de ses *familles* pour démarrer l'exploitation, ma mère étant juste autorisée à y effectuer des missions ponctuelles. Par la suite, elle justifia l'opération en m'expliquant que, si mon père lui avait confié les rênes de Jeba, cela n'aurait pas été conforme aux coutumes africaines. Au cours de son deuxième séjour en Allemagne, elle fit en outre l'acquisition d'un matériel agricole flambant neuf, ce qui acheva d'engloutir une bonne partie de son héritage.

Malgré tout, les bénéfices escomptés se faisaient attendre, ce qui conduisit manifestement papa David à mettre en doute le bien-fondé des coutumes africaines puisque maman passa de plus en plus de temps à Jeba. À ma connaissance, elle est la seule femme que mon père ait jamais autorisée à quitter le harem pour des périodes prolongées. Selon elle, l'autonomie qui lui était ainsi accordée était plutôt due au fait qu'elle se trouvait en pleine ménopause et que, étant infertile, elle pouvait désormais se consacrer à d'autres occupations. Il s'agit là en effet d'une interprétation plausible, les femmes du Nigeria accédant traditionnellement à une relative indépendance aux alentours de la cinquantaine.

Et puis soudain, au début de l'année 1984, ma mère m'annonça que nous allions quitter le harem pour nous installer à Jeba. Si je m'étais écoutée, je me serais mise à pleurer sur-le-champ. Je n'avais aucune envie de quitter mes mamans et mes sœurs. J'aimais tant mes habitudes, mon école, ma petite existence qui me semblait si parfaite. Mais notre éducation nous interdisait de contredire les adultes, quelles que soient les circonstances. La seule chose que nous ayons le droit de faire était de poser des questions, auxquelles on était tenu de nous fournir des explications raisonnables. C'est d'ailleurs ce que faisaient toutes nos mamans, qui nous traitaient comme des êtres responsables.

Avec patience, ma mère entreprit de m'exposer les raisons de notre départ. Elle me parla de la mission qu'elle devait accomplir dans la ferme et qui consistait à nourrir les gens de la ville. Elle m'apprit que le responsable actuel ne s'en sortait pas malgré le coûteux outillage qu'elle avait importé d'Allemagne. De plus, il n'arrêtait pas de casser du matériel, ce qui accroissait d'autant l'endettement de l'exploitation. Aussi sa présence était-elle requise et, comme elle ne voulait pas se séparer de moi, papa David l'avait autorisée à m'emmener.

« Mais pourquoi maman Bisi n'a-t-elle pas le droit de venir ? protestai-je. Elle est capable de guérir n'importe quelle plante ! Et maman Ada ? Elle qui est si forte et sait construire des maisons ! » Bien que je fusse encore une enfant, je me permettais ainsi d'intervenir dans le destin de mes mamans. Étant attachée à elles autant qu'à ma mère naturelle, j'étais prête à tout pour qu'elles restent à mes côtés. Bisi ne tarda pas à se laisser convaincre et fut très heureuse d'obtenir la permission de nous accompagner avec ses deux filles, Jem et Efe, respectivement âgées de douze et dix ans. Quant à Ada, sa toute récente grossesse suffit à convaincre mon père.

Même pendant leur absence, ses trois épouses conservèrent leurs appartements au harem. L'inverse eût signifié qu'il les avait chassées, comme Idu la rebelle, quelques années auparavant. La seule chose à laquelle maman ait dû renoncer était sa place au sein du tribunal de maman Patty, ce qui lui fit perdre son influence sur la collectivité.

Nos adieux furent déchirants. Papa David étant venu en personne pour nous prodiguer ses derniers conseils, ce fut pour moi une des rares occasions de l'aborder directement.

— Pourquoi ne viens-tu pas avec nous ? lui demandai-je.

— Papa David restera toujours auprès de toi, petite Choga, fit-il en se penchant sur moi, non sans avoir jeté à maman un regard étonné. Mais je ne peux pas être partout à la fois. Sois fière de ta mère, de maman Bisi et de maman Ada, et agis toujours selon leur volonté. Car c'est aussi la mienne.

— Tu vas venir nous voir, n'est-ce pas ?

— Aussi souvent que je pourrai, petite Choga. Mais ne t'inquiète pas : là où vous allez, tu seras très bien.

— Les femmes ont-elles donc le droit de partir toutes seules ?

— Tu es une enfant très intelligente, répondit mon père en riant. Non, en effet, elles n'en ont pas le droit. Il doit y avoir quelqu'un qui veille sur vous.

Le voyage, que nous effectuâmes en convoi, fut pour moi une véritable aventure. C'était la première fois que je voyais vraiment mon pays, ses forêts immenses et ses gigantesques étendues désertiques. Je n'en croyais pas mes yeux. À l'époque, il n'y avait guère de routes goudronnées au Nigeria, et celles que nous empruntâmes étaient en piteux état, nous obligeant à faire de nombreux détours. Papa avait affecté un garde du corps à chacune de nos voitures. À cause de leur présence, nous devions rester voilées tout au long du trajet, ce qui me pesa beaucoup car il régnait dans l'habitacle confiné une chaleur écrasante.

Nous passâmes les deux nuits de notre périple dans d'autres *familles* auxquelles nous avions apporté des présents qui furent acceptés avec joie. Ces deux haltes se révélèrent très festives, Ada et Bisi connaissant plusieurs des jeunes femmes qui y vivaient et qui, avant leur mariage, avaient été élevées dans notre harem. Maman aussi fut accueillie à bras ouverts. Elle avait déjà rendu visite à nos hôtes au cours de ses précédents déplacements et ils savaient qu'elle ne manquait pas de rapporter à papa David les problèmes que rencontraient ses *familles.* La vie de ces communautés ressemblait à la nôtre. Les lieux étaient entourés de murs et de grillages. Mais leurs *compounds* étaient loin d'être aussi grands que celui de Lagos.

9
La vie à la campagne

Depuis que j'en connaissais l'existence, je m'étais figuré la ferme des environs de Jeba avec un *compound* fortifié comme celui du harem de Lagos. Quelle ne fut donc pas ma surprise lorsque je découvris que cette grande demeure en pierre au toit en tôle ondulée n'était entourée d'aucun mur ni grillage !

Je n'avais jamais vu une maison de ce genre, avec une entrée, un vaste séjour équipé d'une cheminée et un escalier conduisant à l'étage supérieur. Elle avait été construite par un Anglais, plusieurs années auparavant, et, depuis son départ, avait subi un certain nombre de modifications, seules quelques parties ayant conservé leur style d'origine. Il n'en reste pas moins que, habituée aux intérieurs modestes du harem, je la jugeai d'un luxe ostentatoire. Pendant les premières semaines, Jem, Efe et moi-même passâmes notre temps à courir dans l'escalier. Jusqu'au jour où une marche se déroba sous le pied d'Efe. Il fallut se rendre à l'évidence : la construction était vétuste et nécessitait une restauration en profondeur. Aussitôt, maman Ada s'attela à la tâche.

Sur le domaine se trouvaient également plusieurs cabanes constituées de torchis et de troncs de palmiers où était stockée la nourriture, ainsi qu'une baraque délabrée abritant l'outillage. Un peu plus à l'écart, nous découvrîmes un bungalow laissé à l'abandon où avaient vécu les domestiques du premier occupant. Enfin, juste à côté de la maison, papa Udoka avait érigé une petite chapelle branlante qui ressemblait plutôt à une remise et permettait d'accueillir une petite dizaine de personnes, à la condition toutefois qu'elles acceptent de se serrer. La propriété était entourée d'une barrière en bois qui, à l'évidence, avait pas mal souffert du vent.

N'ayant aucun point de comparaison, je ne compris pas l'effarement de maman devant l'état de cette ferme qu'elle venait d'acquérir sur ses propres fonds. Avec le recul, il m'est néanmoins apparu que seule une personne débordant d'énergie comme elle était en mesure de la remettre sur pied. La famille qui y habitait depuis près trois ans, elle, en était totalement incapable.

Papa Udoka, son chef, ne tarda pas à manifester sa mauvaise humeur. Persuadé qu'une poignée de femmes ne réussiraient jamais là où il avait échoué, il n'avait en outre aucune envie de se plier aux ordres de maman. Ignorant son attitude, celle-ci commença par assigner aux gardes du corps qui avaient fait le voyage avec nous la mission de réparer l'enclos et de rassembler les chèvres et les poules dispersées dans les champs. Papa Udoka dut bien vite reconnaître la détermination de ma mère, d'Ada et de Bisi, et se prépara à quitter les lieux. Ses deux épouses les plus âgées, maman Ngozi et maman Funke, restèrent avec nous, leurs filles s'étant toutes mariées et installées dans le village d'à côté. Ces dernières allaient d'ailleurs nous apporter par la suite une aide précieuse dans l'exploitation de nos quelque vingt hectares de terres.

Bien que je sentisse que Bisi et Ada partageaient l'enthousiasme de ma mère pour l'aventure dans laquelle nous étions engagées et pour le paysage de collines verdoyantes qui nous entourait, je ne pouvais m'empêcher d'avoir peur. Je me sentais si peu protégée. Les premiers jours, je n'osai presque pas quitter la chambre du rez-de-chaussée que je partageais avec Efe. De son côté, maman n'avait malheureusement pas le temps de s'occuper de moi.

La récolte d'ignames se profilait et mes deux sœurs devaient être formées à travailler dans les champs. Redoutant de passer la journée seule, je décidai de les accompagner. Si le travail physique ne pesait guère à maman Bisi et à maman Ada, nous ne pouvions pas en dire autant. Enfants de la ville, gâtées par la vie au harem, nous nous essoufflions très vite à déterrer les profondes racines, tout en veillant à ne pas abîmer les plantes. Pour ne rien arranger, l'agriculture n'étant pas, en Afrique, l'affaire des hommes, nous étions livrées à nous-mêmes. Enrobée comme je l'étais, je donnais cependant l'impression d'être vigoureuse et l'on m'attendait au tournant. Aussi, afin de ne pas m'exposer aux sarcasmes, je redoublais d'efforts. Comme je m'étais révélée assez maladroite dans le maniement des ignames, je fus chargée de les transporter à l'intérieur dans une brouette. De là, elles étaient ensuite acheminées sur un vieux tracteur jusqu'au marché.

Au bout de quelques mois, j'étais à bout de forces. Mes jambes et mon dos me faisaient souffrir ; le soir, je m'écroulais comme une masse sur mon lit de camp. Un jour, maman Ada me prit à part et m'inspecta de la tête aux pieds. « La vie à la campagne te fait le plus grand bien, ta graisse a complètement fondu », déclara-t-elle en riant. C'était vrai : j'avais beaucoup changé. Sans doute parce que je n'avais plus le temps de végéter et de grignoter. De plus, j'avais appris à connaître le moindre recoin de notre nouveau territoire et j'en arrivais à me demander comment j'avais bien pu vivre entre quatre murs.

Nous constatâmes bien vite que la famille de papa Udoka ne s'était pas contentée de négliger l'entretien de la maison : avec l'argent de son héritage, maman avait acheté un tracteur neuf, mais celui-ci était déjà en panne pour avoir passé des semaines dehors, exposé aux intempéries. Nous dûmes attendre plusieurs semaines l'arrivée d'un mécanicien muni des pièces détachées nécessaires pour le faire redémarrer. Par ailleurs, il n'y avait aucune trace du nouveau camion que nous avions commandé. D'après nos prédécesseurs, il était en réparation à Jeba mais, lorsque maman s'y rendit pour se renseigner, il s'était évanoui dans la nature.

Je ne sus que beaucoup plus tard que ma mère avait eu bien du mal à se faire accepter par la population masculine de la région. Non seulement c'était une femme, mais elle était blanche... En fait, les choses commencèrent à s'arranger dès qu'elle eut démontré sa capacité à faire prospérer notre exploitation.

Jem et Efe ayant passé l'âge, j'étais la seule à devoir encore aller à l'école. Comme personne n'avait le temps de me faire cours, je dus dans un premier temps me rendre à Jeba, un village d'environ 2 000 habitants. À pied, cela me prenait une heure, à condition de couper à travers champs ce qui, compte tenu de mon problème à la jambe, n'allait pas sans difficultés. En empruntant les routes, solution certes plus raisonnable car on pouvait mieux distinguer les obstacles, il y en avait pour trois bonnes heures.

J'optai donc pour le raccourci, jusqu'au jour où je faillis trébucher sur un serpent. Lorsque je le décrivis à maman Funke, celle-ci m'expliqua qu'il était inoffensif et entreprit de m'initier à l'univers des reptiles. Mais je ne comprenais pas bien ce que me disait cette femme édentée qui s'exprimait dans un dialecte abscons. De surcroît, on dénombrait pas moins d'une dizaine d'espèces entre lesquelles la distinction n'était pas facile à opérer...

Cette mésaventure ne fut pas le seul problème que ma scolarisation engendra. Ainsi, en période de récolte, tout le monde était mis à contribution, y compris les enfants, et je me retrouvais alors souvent seule dans la salle de classe de Jeba. Compte tenu du périple que constituait mon trajet quotidien, cela me frustrait beaucoup et, lasse de ces servitudes inhérentes à la vie rurale, je finis par jeter l'éponge et restai à la maison.

Maman Bisi, qui connaissait beaucoup de chansons et de poèmes pour enfants, s'employa à me remonter le moral, tout en s'efforçant de me démontrer que j'avais tort. Souvent, elle me réveillait par ce refrain : « Manger toute la journée, telle est la vie du bœuf. Il préfère être repu que de tirer la charrue. Pourquoi ne veut-il pas être fort comme un bœuf ? ». « Allez, va à l'école, maintenant, et tu deviendras aussi forte que ta mère », ajoutait-elle en déposant un baiser sur mon front.

Ce n'était pas l'envie qui m'en manquait, mais j'aurais tant aimé que cela soit aussi aisé que dans le harem. Le fait que mes deux sœurs préférées aient perdu tout intérêt pour les études me dépassait. Contrairement à elles, je persistais à considérer cela comme un droit. Devant mon obstination, maman écrivit une lettre à papa David pour lui demander de nous envoyer une enseignante. Pendant de longues semaines, il ne se passa rien. Et puis, un soir, nous vîmes apparaître l'une des grosses voitures de mon père. Il s'était déplacé en personne pour accéder à notre demande ! Et il avait bien choisi son moment car, sous l'effet de l'harmattan qui soufflait du nord, le sable du Sahara envahissait nos terres et nous ne pouvions travailler.

En réalité, papa David voulait surtout revoir ses épouses et leur prouver qu'il continuait de les aimer. Pendant les quinze jours que dura son séjour, il consacra l'essentiel de son temps à maman, ce qui, du coup, la rendit plus tendre et plus attentionnée à mon égard. Dans le harem, cette influence qu'il exerçait sur elle ne m'avait pourtant jamais frappée. Sans doute parce qu'à l'époque j'étais beaucoup plus entourée.

Le professeur que mon père avait choisi s'appelait Okereke. Il était chargé de faire cours à Efe, à moi-même, aux petits-enfants de maman Funke et de maman Ngozi, ainsi qu'à quelques-uns de nos voisins. Jem, pour sa part, ne voulut rien entendre et préféra continuer de travailler dans les champs. Okereke était très âgé, extrêmement maigre et bossu. Il avait eu une vie plutôt mouvementée et passait des heures, le soir, à me raconter des histoires sous la grande véranda de notre maison, où il faisait d'ailleurs également classe.

Grâce à lui, j'appris l'histoire de mon pays et il me prêta de nombreux livres. Aujourd'hui encore, je lui en suis fort reconnaissante. Qui plus est, j'avais toujours considéré papa David, non comme un père, mais comme le chef respecté de notre famille, et je n'avais jamais connu mon grand-père. Aussi était-ce la première fois qu'une personne du sexe opposé me consacrait du temps. Pour moi, il était devenu tout cela à la fois : un père et un grand-père de substitution, un professeur et un conteur.

Après avoir longtemps travaillé comme traducteur pour le gouverneur de Grande-Bretagne, il avait participé à la lutte pour l'indépendance du Nigeria et s'était retrouvé en première ligne. Son expérience me permit de prendre conscience de la précarité de l'existence dans un pays comme le nôtre. Okereke admirait mon père et sa façon d'aider les membres de sa communauté à assurer leur propre subsistance. Le vieil homme vivait parmi nous. En guise de « salaire », il était nourri et logé dans la partie réhabilitée de notre dépendance. Si les tortures qu'il avait subies en prison l'empêchaient d'effectuer des tâches manuelles, il apporta à ma mère une aide précieuse pour les nombreuses formalités administratives qu'entraînait la conduite d'un si vaste domaine.

10
La prophétie de Bisi

Celle qui avait le plus aidé ma mère dans le lancement de l'exploitation était maman Ada. Elle avait travaillé sans relâche, à tel point qu'elle avait fait une fausse couche. Mais la visite de papa la transforma, elle aussi. Moins réservée que d'ordinaire, elle devint même franchement gaie. Comme elle était grande et maigre et qu'elle portait toujours des vêtements très amples, je mis plusieurs mois à en comprendre la raison : maman Ada était de nouveau enceinte. Cependant, elle continuait à ne pas ménager ses efforts. « Une personne qui ne travaille pas est une personne inutile, disait-elle. Je souhaite que mon enfant le comprenne le plus tôt possible. »

Maman Bisi, de son côté, avait accompli un petit miracle botanique en réussissant à faire revivre et prospérer quelques magnifiques bougainvillées sur une petite parcelle de terrain située à côté de la maison. Le soir, lorsque je la cherchais pour discuter un peu ou faire un câlin, je la trouvais souvent là, seule, occupée à parler à ses plantes ou à les entretenir.

Un jour, tandis que je m'approchais de son repaire, je constatai avec surprise qu'elle était en compagnie de mon autre maman préférée, assise à même le sol à côté des buissons. Dès qu'Ada m'aperçut, elle posa son index sur ses lèvres pour m'intimer le silence :

Bisi était en train de consulter les oracles pour prédire l'avenir de son futur bébé. Certes, papa David était opposé à ces pratiques ancestrales mais, dans l'impunité de notre ferme reculée, maman Bisi pouvait s'y adonner de nouveau en cachette.

Bien qu'ayant manqué le début, je compris que la petite fille de maman Ada allait tomber très malade peu après sa naissance et que nous allions toutes devoir veiller sur elle. Comme son premier enfant n'avait pas dépassé l'âge de six ans et qu'elle venait de perdre le deuxième, cette prédiction fut pour Ada un véritable choc.

— Va-t-elle mourir comme les autres ? s'enquit-elle.

— Ta fille restera pure comme une fleur immaculée, déclara Bisi en guise de réponse. Elle ne connaîtra pas le péché. C'est pourquoi nos ancêtres exigent qu'elle porte le nom de Susan.

Suite à cet épisode, maman Ada s'enferma dans notre chapelle pour ne plus la quitter, priant et implorant Dieu sans répit. Étonnée par son comportement, ma mère me demanda si j'en connaissais la cause. Elle savait que je passais beaucoup de temps avec ma marraine et se faisait du souci. Mais j'avais promis de ne rien dire. Bien qu'Ada et Bisi fussent ses meilleures amies, elles craignaient en effet que maman fasse part à papa David de la prophétie de Bisi. Le silence qu'on m'avait imposé me pesait tant que je développai une forte fièvre et une diarrhée persistante. Délaissant son labeur, maman Bisi décida de rester à mon chevet. Au bout de plusieurs jours, alors que je n'allais pas mieux, elle vint s'asseoir sur la natte de paille qui me servait de lit.

— J'ai été stupide, Choga, et je te prie de m'excuser, commença-t-elle en me caressant les cheveux. Je vais tout raconter à ta mère. Tu n'as pas à faire les frais des histoires d'adultes.

— Mais papa David va être très en colère contre toi ! Tu imagines, s'il te chasse comme maman Idu ?

— Alors c'est que telle était la volonté de Dieu.

Cette phrase, prononcée avec une parfaite sérénité, me glaça le sang. Je ne pouvais même pas imaginer la perdre.

— Dis-moi, maman Bisi, demandai-je après quelques instants, est-ce que les ancêtres de maman Ada sont au paradis ?

— Bien sûr, mon enfant.

— Mais alors pourquoi se contentent-ils d'annoncer que le bébé de maman Ada va tomber malade ? Ne devraient-ils pas plutôt l'aider à rester en bonne santé ?

— C'est précisément ce qu'ils font en nous mettant en garde, Choga.

— Pourtant, Dieu est censé veiller sur tous les enfants, n'est-ce pas, maman Bisi ? Y compris celui de maman Ada.

— Il va le faire. Mais nous devons l'y aider.

— J'ai compris : il faut que je guérisse très vite de manière à pouvoir m'en occuper.

Maman Bisi se pencha pour m'embrasser et je sentis une larme tomber sur mon visage. C'était la première fois que je voyais ma marraine pleurer.

Jusqu'à présent, je n'avais pas vraiment pris conscience du statut particulier que ma mère occupait en tant que responsable de la ferme (comme je l'ai appris entre-temps, elle était effectivement la seule femme à diriger une famille). En sa qualité de représentante de papa David parmi nous, elle sut trouver une solution tout à fait diplomatique à cette situation épineuse. Une fois que Bisi lui eut confessé sa faute, elle vint me trouver pour me dire que tout était arrangé. Dès le lendemain, ma fièvre tomba et, deux jours plus tard, je pus me remettre à jouer comme si de rien n'était.

Je venais de fêter mon neuvième anniversaire lorsque papa David nous rendit visite pour le baptême du bébé d'Ada. Nous avions déjà tous pris l'habitude de l'appeler Susan et, chaque matin au réveil, mon premier réflexe consistait à aller voir maman Ada pour lui demander des nouvelles de la petite. Ayant assisté en direct au choix de son prénom par les ancêtres, j'étais impatiente de savoir quelle serait la décision de mon père.

Le jour dit, au moment fatidique, je l'entendis annoncer : « Je te baptise Rebecca, Susan, au nom du Père, du Fils et du Saint-Esprit. » Je poussai un soupir de soulagement. Sa marraine, qui n'était autre que ma mère, portait le bébé sur les fonts. Elle était radieuse. Le tour était joué ! Elle avait réussi, en procédant comme à son habitude, de manière discrète mais efficace. Ce compromis satisfaisait tout le monde : nous pouvions continuer à utiliser le diminutif de ma petite sœur, Sue, tout en l'élevant selon les principes de papa David.

Dès le début, j'entretins avec elle une relation très étroite. Je restais bien entendu attachée à Efe et à Jem, mais la chérissais tout particulièrement. Après que mes mamans m'eurent expliqué comment on s'occupait d'un bébé, je me mis à l'emmener partout, attachée dans mon dos à l'aide d'un foulard. Lorsqu'il m'arrivait de ne pas l'avoir sur moi, je me sentais toute nue. Même pendant les cours, je la gardais à mes côtés en l'allongeant par terre.

Quand la petite commença à marcher à quatre pattes, Okereke et mes camarades de classe m'aidèrent à la surveiller. Notre benjamine faisait vraiment l'unanimité. Elle était devenue une partie de moi-même et, les jours où maman Ada l'emmenait avec elle dans les champs, j'étais inconsolable. Mais le plus extraordinaire, ce fut la fois où elle prononça son premier mot. C'était mon nom ! Aussitôt, je la pris dans mes bras et lui fis faire le tour du propriétaire en lui demandant de le répéter. Bien qu'elle articulât mal, cet exploit fit la joie de tous. Sue elle-même ne s'arrêtait plus de rire.

Ma mère, Ada, Bisi et moi étant les seules à connaître la prophétie, nous étions sans cesse sur nos gardes. Dès que l'une d'entre nous l'entendait pleurer, elle accourait. Ce qui n'était peut-être pas la meilleure idée, car l'enfant comprit très vite que le moindre vagissement de sa part suffisait à attirer l'attention !

11
Corn, mon sauveur

Dans mon pays, les chiens ne comptent guère aux yeux des gens. Ayant eux-mêmes fort à faire pour s'en sortir, il ne leur viendrait pas à l'idée de partager avec les représentants de l'espèce canine. Aussi ces derniers sont-ils contraints de se procurer eux-mêmes leur nourriture, y compris ceux – les plus nombreux – qui n'appartiennent à personne et se constituent en meutes pour se livrer, surtout la nuit, des combats sanglants. Leurs hurlements m'empêchaient souvent de trouver le sommeil.

Bien que les chiens soient en outre considérés comme sales et inutiles, nous en avions un, qui bénéficiait même de certains égards. Corn avait en effet développé un instinct particulier qui nous rendait bien des services : il chassait les serpents. Son précédent maître avait dû le dresser à cela. Quant à son nom, il le devait à la couleur de son pelage : il était aussi jaune que du blé bien mûr.

Depuis que je vivais à la ferme, j'avais peur de tout, un sentiment que je n'avais jamais éprouvé dans le harem de Lagos. Aussi redoutais-je également Corn, que j'assimilais à ses congénères errants, et essayais-je par tous les moyens de l'éviter. Nous ne savions pas grand-chose de son passé sauf que, d'après maman Funke, papa Udoka lui avait appris à surveiller les enfants. Dès que l'un d'eux se mettait à pleurer, il se précipitait et, truffe contre terre, ratissait les environs pour voir s'il n'y avait pas de serpent. Un jour, il en surprit un. Okereke, qui se trouvait par hasard dans les parages, assista au spectacle : Corn se rua sur le reptile, le mordit derrière la tête et le secoua dans tous les sens jusqu'à ce qu'il rende l'âme.

— Pour l'instant, il est encore assez rapide, commenta notre professeur. Mais lorsqu'il vieillira, il finira par se faire avoir.

— Que se passera-t-il alors ? demandai-je.

— Et bien, nous en prendrons un autre ou alors nous devrons nous défendre seuls. À mon avis, il serait sage de nous procurer un second chien dès maintenant. Peut-être que Corn saura lui apprendre avant qu'il ne soit trop tard.

— Tu veux dire qu'il n'en a plus pour longtemps ? m'exclamai-je en ouvrant de grands yeux.

— Ainsi va la vie. Un chien n'est pas un homme.

Mon regard passa de Corn à Sue et je me rappelai la prophétie de maman Bisi qui nous commandait de faire très attention à elle. À partir de ce jour, je considérai Corn d'un autre œil. Je me mis à jouer avec lui et il commença à nous suivre, la petite et moi, partout où nous allions. Maman Bisi m'ayant expliqué qu'il n'était pas propre et devait donc rester dehors, je harcelai ma mère jusqu'à ce qu'elle me montre comment le brosser et le débarrasser des parasites. En fait, elle l'aimait bien ; au Brunnerhof, en Allemagne, elle avait toujours eu des chiens. Néanmoins, pour elle aussi, tout animal devait servir à quelque chose. Petit à petit, Corn devint pour moi un tendre et fidèle ami, mais mes mamans continuèrent à lui interdire l'accès à la maison. Elles craignaient que je me mette à le traiter comme un être humain, le privant ainsi de son instinct de chasseur. Seules Efe et

Jem me soutenaient. Comme toujours, nous étions solidaires, mais cette fois-ci sans succès.

De la vie nocturne de Corn, je ne connaissais que les traces de morsures que je découvrais régulièrement le matin. Maman Bisi me donnait alors de la teinture d'iode et je m'évertuais à soigner le valeureux combattant, tout en lui prodiguant des paroles réconfortantes. Reconnaissant, il ne me quittait plus d'une semelle.

Un soir, je fus de nouveau réveillée par des aboiements. Je me levai, ouvris la fenêtre et sondai l'obscurité. Soudain, je perçus un petit couinement. Corn était sous ma fenêtre ; il montait la garde. Rassurée, je me recouchai.

Et puis soudain, je retombai très malade. D'après ma mère, la vie urbaine m'avait fragilisée et j'attrapais tout ce qui traînait. Une fois encore, je me retrouvai alitée avec une forte fièvre. Efe veillait sur moi, m'apportait des compresses froides et me donnait un médicament préparé par Bisi. L'après-midi, il faisait une chaleur étouffante dans ma chambre. À la différence du harem, notre ferme était dépourvue de ventilateurs. En outre, ma fenêtre devait demeurer fermée, afin que les insectes n'entrent pas. Je suppliai maman, qui était en train de me lire des contes en allemand, de l'ouvrir. Elle finit par céder et je parvins enfin à m'endormir. Mon sommeil fut agité de rêves sans queue ni tête et, lorsque je me réveillai, la pièce était vide.

Soudain, je perçus un léger frôlement. En me redressant, je vis un long corps sombre qui s'insinuait par l'entrebâillement de la fenêtre. Avant même que j'aie réalisé qu'il s'agissait d'un serpent, il se laissa tomber sur le sol en émettant un bruit sourd. Pétrifiée, je fixais la créature qui devait mesurer un bon mètre et demi et rampait dans ma direction. J'étais acculée au mur et n'avais aucune moyen de fuir. Le reptile leva la tête et siffla.

— Maman ! Maman ! m'époumonai-je après être restée une fraction de seconde paralysée par la terreur.

Le serpent ne bougeait plus. Je jetai un œil à la porte. Personne. Voilà qui ne risquait guère de le dissuader...

— Au secours ! Corn !

Sans doute celui-ci avait-il déjà entendu mon premier appel, car je le vis surgir comme l'éclair et fondre sur le serpent. Tout se passa avec une rapidité stupéfiante. Je ne distinguai soudain plus qu'une boule de poils tournoyant sur le sol et, quelques instants plus tard, le calme revint. Les yeux de Corn étaient posés sur moi, comme s'il voulait vérifier que je n'étais pas blessée. À ses côtés reposait la dépouille inanimée de sa victime.

Lorsque je voulus attirer mon sauveur contre moi pour le remercier, je me rendis compte que quelque chose n'allait pas. Corn se recroquevilla et mordilla sa patte arrière. Aussitôt, les paroles d'Okereke me revinrent en mémoire : un jour, un serpent allait le prendre de vitesse. Je me penchai pour inspecter l'endroit qui le démangeait, découvrant entre les poils drus deux petites marques suintantes. L'empreinte des dents pleines de venin !

Mon sang ne fit qu'un tour et je me mis à hurler. Ma mère arriva la première, suivie par Bisi, puis par Okereke. Le vieux professeur se pencha sur le chien.

— Il vaut mieux que je le prenne avec moi, fit-il en secouant la tête.

— Que vas-tu faire de lui ?

— L'aider à ne pas trop souffrir.

— Non ! lançai-je en me levant brusquement pour lui barrer le passage. Il n'est pas question qu'il meure.

— Nous ne pouvons plus rien pour lui.

— Maman, je t'en prie. Il m'a sauvé la vie. Il doit y avoir une autre solution !

J'étais encore trop faible et tenais à peine debout. Je faillis tomber et ma mère me rattrapa in extremis.

— Je n'en vois qu'une, déclara-t-elle.

Joignant le geste à la parole, elle détacha son foulard et en fit un garrot qu'elle fixa au-dessus de la plaie. Lorsqu'elle le serra, le chien émit une plainte aiguë.

— Sur trois pattes, il n'a aucune chance, Lisa, intervint maman Bisi, bouleversée.

— Comment ça, sur trois pattes ? bredouillai-je.

— La seule chose que nous puissions faire, c'est l'amputer, et tout de suite, confirma ma mère. Sinon, sa fin sera terrible.

Je me détachai d'elle, m'agenouillai près de Corn et le caressai. Ses halètements étaient de plus en plus saccadés et sa truffe toute sèche.

— Très bien, il n'y a plus de temps à perdre, acquiesça Bisi.

À toute hâte, maman et Okereke soulevèrent l'animal et quittèrent la pièce. Bisi m'ordonna de me recoucher, ramassa le serpent et fit mine de les suivre. Juste avant de sortir, elle se ravisa et, sans un mot, referma ma fenêtre.

Quelques minutes plus tard, j'entendis un hurlement déchirant qui, aussitôt, céda la place à un silence de mort. Je fermai les yeux de toutes mes forces et fondis en larmes.

Je ne revis Corn qu'une fois guérie, une semaine plus tard. J'eus un coup au cœur. La moitié de son corps était entourée d'épais bandages ; pour éviter qu'il se lèche, on lui avait mis une muselière. Je pris sa tête sur mes genoux et le cajolai pendant de longues heures.

Au bout d'un moment, maman Bisi vint me voir.

— Ce n'est pas une vie pour un chien de chasse, commença-t-elle. Moi, il me fait pitié.

Je ne savais pas quoi dire. Après tout, elle avait peut-être raison. J'allongeai mon sauveur sur une vieille couverture et lui donnai de l'eau. Incapable de se lever, comment allait-il faire pour se nourrir ? Jusqu'à présent, il s'était toujours débrouillé seul, sans que nous sachions de quelle manière il s'y prenait. Nous ne connaissions même pas l'existence des croquettes. Ce n'est que plus tard que maman m'apprit qu'on en vendait en Allemagne. Quoi qu'il en soit, une chose était sûre : il ne serait plus jamais en mesure de chasser.

Le lendemain, alors que j'étais de nouveau assise aux côtés du malheureux animal, ce fut au tour d'Okereke de me donner son point de vue :

— Si tu veux qu'il redevienne autonome, il ne faut pas continuer à le gâter ainsi. Lève-toi et appelle-le. Essaie de le stimuler.

Je pris un bâton et l'agitai sous le nez de Corn, mais celui-ci resta sans réaction. Finalement, j'allai trouver Bisi pour lui demander si elle n'avait pas un remède.

— Je peux toujours essayer, déclara-t-elle. Si Dieu le veut, il ira mieux.

Dans les jours qui suivirent, ma mère me donna quelques restes pour Corn. En cachette, bien sûr, car nous n'avions pas grand-chose à manger. C'était un mélange de racines d'ignames et de minuscules morceaux de viande, auquel maman Bisi ajoutait sa potion. De temps à autre, il avait aussi droit à un os. Après quelque temps, il parut vouloir se lever. C'était un chien costaud et très musclé. Lorsqu'on lui retira enfin son bandage, au bout de plusieurs semaines, mon chouchou semblait s'être habitué à son état et, très vite, il parvint à se déplacer sur trois pattes.

Certes, il n'était pas bien rapide, un peu comme moi, lorsque ma hanche me faisait souffrir. Le soir, quand nous revenions des champs, notre couple devait offrir un spectacle bien particulier.

À présent, personne n'exigeait plus qu'il couche dehors. Il valait mieux ne pas l'exposer aux hordes de chiens errants. Contre eux, il n'aurait pas eu la moindre chance. Désormais, il dormait roulé en boule au pied de mon lit. Parfois, lorsque nous entendions les aboiements de ses congénères, il sursautait et se mettait à couiner. Puis il faisait un tour sur lui-même et se recouchait, le museau entre les pattes.

— Dieu n'abandonne jamais ceux qu'il aime, me dit un jour Okereke.

— Tu vois : il aime aussi les chiens, répondis-je. Et pourtant ce ne sont pas des hommes.

— Tu as bien fait de te battre pour ton sauveur. Si je l'avais achevé, j'aurais commis un péché. Grâce à toi, mon enfant, j'ai appris quelque chose : devant Dieu, tous les êtres vivants sont égaux.

Le dimanche suivant, pendant le prêche, Okereke raconta mon histoire avec Corn. Dès lors, celui-ci fut connu dans tout le voisinage. Plus personne n'osa se moquer de son infirmité, ni lui lancer des pierres que la pauvre bête ne pouvait esquiver.

Parfois, on venait nous rendre visite juste pour le caresser. Puisque Dieu le protégeait, tout le monde le considérait comme un porte-bonheur. Quelque temps après, j'entendis parler d'une autre ferme de la région, où un chien, lui aussi chasseur de serpents, avait également été mordu. En dépit de l'usage qui voulait que tout animal devenu inutile fût abattu, il avait bénéficié de la clémence de ses maîtres. Puis ils l'avaient soigné, tout comme nous l'avions fait avec Corn.

12
Le cœur de mon père

Un jour, alors que je rentrais des champs, j'aperçus ma mère et maman Bisi qui se tenaient sous la véranda et scrutaient l'horizon dans ma direction. De loin, on aurait dit que leurs silhouettes se confondaient. L'après-midi touchait à sa fin, mais le soleil était encore fort et faisait danser l'air au-dessus du sol. Ada marchait à mes côtés, un panier de maïs sur la tête. J'en portais également un, mais bien plus petit, que je retenais de la main pour qu'il ne tombe pas. À cause du roulis qu'induisait mon problème à la jambe, j'étais incapable de garder quelque chose en équilibre comme le faisaient les adultes ou la plupart de mes sœurs. Mais cela amusait beaucoup Sue, qui préférait infiniment être sur mon dos que sur celui des autres qui restaient droites comme des I. Haletant, la langue pendante, Corn boitillait à notre suite.

Avec un sourire, maman me débarrassa de mon panier. Il était rare qu'elle se montre attentionnée à mon égard. Rien que ce petit geste était déjà un événement.

— Tu es très courageuse, Choga, dit-elle en passant une main sur mes nattes poussiéreuses.

Surprise, je levai les yeux sur elle. Ne comprenant pas le sens de ses paroles, je restai silencieuse. Plus tard, nous nous retrouvâmes pour la prière et le repas du soir en compagnie de mes autres mamans et sœurs, ainsi que des femmes des environs qui nous donnaient un coup de main pendant la saison et dormaient toutes dans notre immense hall d'entrée (le distingué Britannique qui avait fait construire la maison devait se retourner dans sa tombe...).

Juste avant d'aller dormir, ma mère me demanda de la rejoindre sous la véranda. Maman Bisi était là aussi, occupée à tresser un de ses paniers en osier qu'elle revendait au marché. Depuis que nous vivions à Jeba, il n'arrivait plus guère que maman me lise ou me raconte une histoire. Je me réjouissais donc d'autant plus et fis mine de m'installer par terre.

— Tu veux bien faire quelques pas devant moi, Choga ?

— Pourquoi ?

— J'aimerais voir comment tu marches.

Je m'exécutai. Pourtant, j'étais épuisée par ma journée et j'avais mal partout.

— Mets donc un peu le poids du corps sur ton autre jambe.

J'essayai un instant mais ne tardai pas à reprendre ma démarche habituelle qui me permettait de soulager ma jambe douloureuse. Mais l'habitude était trop grande.

— Ta mère a écrit à papa David, intervint soudain maman Bisi. Nous estimons qu'il devrait faire quelque chose pour toi.

— Mais vous n'avez pas le droit ! m'écriai-je, en les fusillant l'une après l'autre du regard.

— Il le faut, ma fille, rétorqua maman d'un air grave. Nous avons perdu assez de temps. J'ai prié papa David de te laisser consulter un médecin.

Je ne supportais pas que quiconque, y compris ma mère, évoque mon infirmité. Celle-ci me faisait souffrir, certes, mais j'en avais pris mon parti. Tout comme Corn, qui parvenait même à marcher sur trois pattes.

— Un jour ou l'autre, tu voudras te marier et avoir des enfants, ajouta maman Bisi. Et là, il sera trop tard.

J'étais stupéfaite. Ainsi, c'était ma marraine qui était derrière tout cela. Elle qui, d'ordinaire, se contentait de remonter le moral des autres, sans jamais se mêler de rien, était intervenue dans le cours de ma vie. Je décidai de tenir tête :

— Je refuse de voir qui que ce soit. Dieu m'a faite ainsi, c'est tout.

Mais je n'avais pas dit toute la vérité. En réalité, je ne voulais à aucun prix bénéficier de privilèges par rapport à mes sœurs. C'est pour cela que j'étais gênée lorsqu'il était question de mes difficultés.

Quelques semaines plus tard, ma mère m'annonça qu'elle allait devoir quitter la ferme pour une période indéterminée. Un nouveau voyage en Allemagne l'attendait, qui devait lui permettre de ravitailler en outillage, semences et engrais l'ensemble des exploitations de papa David.

— Ton père nous envoie une voiture qui nous emmènera à Lagos, précisa-t-elle.

— Est-ce que Sue a le droit de venir ? demandai-je.

Maman rit et m'expliqua que ma petite sœur devait rester auprès d'Ada, ajoutant au passage que j'en profiterais pour passer quelques semaines au harem. En temps normal, je n'aurais jamais osé lui répondre, mais cette fois-ci, je ne pus me contenir.

— Non, je veux rester ici !

Tout en se gardant d'avouer qu'elle avait dû batailler ferme pour obtenir son accord, ma mère m'informa que papa David avait accepté que je consulte un spécialiste à l'hôpital. Ne voulant pas en entendre parler, je décidai de marquer ma désapprobation à ma manière : je partis en courant et allai me réfugier derrière les buissons d'ignames de maman Bisi. Là, je me mis à pleurer à chaudes larmes, comme si j'étais victime d'une grave injustice. À l'hôpital ! Quelle horreur ! On n'y allait que lorsqu'on était très malade... Tout mon univers s'effondrait. Corn dut le sentir, car il vint me voir et se pelotonna contre moi.

Bisi finit par découvrir ma cachette et parvint à m'apaiser quelque peu.

— Allons, ma petite. Ta mère veut bien que je vienne avec toi. Tu n'as aucune raison d'avoir peur. Je serai toujours à tes côtés.

Le soir même, je fis part à Jem des projets de ma mère. Au lieu, comme je m'y attendais, de prendre mon parti, elle réagit avec enthousiasme, m'assurant que c'était la meilleure chose qui puisse m'arriver. Le jour du départ, ce fut la séparation d'avec Sue qui fut la plus pénible. Je ne cessais de répéter à Ada qu'elle devait faire très attention à elle, jusqu'à ce que maman me rappelle en souriant qu'après tout elle était sa mère. Il n'empêche que j'éprouvais un profond malaise à l'idée de la quitter.

— Choga revient très vite, lui dis-je.

— Choga revient, balbutia la petite.

Si j'avais su que je ne l'entendrais plus jamais parler, il aurait fallu me traîner de force pour me faire quitter la ferme.

Cette fois-ci, nous empruntâmes une route différente pour rejoindre Lagos. Je m'en rendis compte car nous fîmes halte chez des *familles* qui m'étaient inconnues et qui, comme la nôtre, fabriquaient des produits qu'elles écoulaient sur les marchés. Malgré les fleuves qui traversaient leurs terres, ces communautés souffraient elles aussi de la sécheresse. En écoutant les conversations entre ma mère et leurs responsables, je compris la nécessité d'y mettre en place des systèmes d'irrigation dignes de ce nom.

Les fermiers s'adressaient à maman avec déférence car ils étaient au courant de la mission qui l'attendait en Allemagne. Promettant de se faire l'écho de leurs difficultés auprès de papa David, elle leur prêta une oreille attentive et ils firent tout pour nous être agréables.

Au harem, rien ou presque n'avait changé. Dans l'intervalle, Patty et Felicitas avaient laissé papa David prendre deux nouvelles épouses. Mes mamans et sœurs nous réservèrent toutefois un accueil mitigé. Sans doute un peu jalouses de notre statut particulier, elles nous traitèrent avec une certaine méfiance. Néanmoins, personne n'osa vraiment nous interroger sur notre nouvelle vie et je repris rapidement mes anciens réflexes. À Lagos, il n'y avait aucun problème de pénurie. Comme par le passé, la nourriture y était abondante et on avait même édifié une nouvelle maison dans le domaine. Affamée, je me ruai sur toutes ces bonnes choses pour combler le manque de Jeba.

Mes deux mamans passèrent beaucoup de temps avec papa David, ce qui était bien légitime, et je n'eus guère l'occasion de les voir. Comme je venais d'avoir dix ans, je m'installai dans l'aile de la maison des enfants réservée aux plus âgés. Mes sœurs aussi avaient grandi. Beaucoup d'entre elles étaient à présent pubères et se comportaient presque comme des adultes. Parfois, je me sentais vraiment seule. Mon expérience à la ferme n'intéressant personne, je cessai d'en parler. À l'inverse, je ne me passionnais guère pour les conversations portant sur le maquillage ou les vêtements. Subitement, je pris conscience de la présence des murs entourant le harem. Le grand air me manquait; les gaz d'échappement et les klaxons m'incommodaient. Quant aux malheureux petits buissons de notre jardin, qui m'avaient paru si beaux autrefois, ils me faisaient maintenant pitié. Comme maman Bisi, je me mis à parler aux fleurs, les arrosant en abondance de cette denrée qui nous faisait si cruellement défaut à la ferme ; de leur côté, mes sœurs se moquaient de moi et de ma façon de marcher...

En un mot comme en cent : le harem m'était devenu étranger. Sue et Corn me manquaient ; eux avaient besoin de moi, alors qu'ici j'étais inutile. Ma seule consolation fut de pouvoir retourner à l'école, ce qui me procura encore plus de plaisir qu'avant. Sans oublier bien sûr les fêtes de famille où je chantais sous le regard bienveillant de papa David. Celui-ci me félicita pour ma voix et ma bonne mine. Lorsqu'il me demanda si je me sentais bien à la ferme, je lui répondis par un véritable cri du cœur :

— Oh oui, j'adore être là-bas !

— On dirait presque que tu ne te plais pas trop parmi nous.

— Si... si. Mais à Jeba nous avons un chien et il me manque beaucoup, me rattrapai-je in extremis, sachant que, pour mon père, le harem était la chose qui comptait le plus.

— Je suis au courant, ma petite Choga. On m'a d'ailleurs rapporté que tu t'étais battue pour qu'il reste en vie... Sache que j'ai raconté cette histoire à tout le monde, car chaque être vivant mérite notre respect.

Papa David m'embrassa sur le front. Il était fort rare qu'il distingue ainsi l'un de ses enfants. Dans notre univers, où la stricte égalité est de mise, le baiser d'un père équivaut à un adoubement.

Quelque temps après cet épisode, vers midi, maman Bisi vint me trouver. C'était l'heure de la sieste, ce moment de la journée où la chaleur nous empêchait de faire quoi que ce soit. Bisi me conduisit dans les appartements de ma mère. Au début, je faillis ne pas la reconnaître. Elle portait une jupe qui s'arrêtait aux genoux et un chemisier blanc. Ses cheveux clairs ramenés en chignon étaient recouverts d'un châle transparent. Incrédule, je ne parvenais pas à la quitter des yeux. Sa tenue n'avait rien à voir avec les grandes robes que nous portions d'habitude. C'était la première fois que je la voyais ainsi transformée en Occidentale, car elle veillait toujours à ne pas se distinguer des autres. Elle était magnifique.

— Bien, Choga Regina, on va me conduire à l'aéroport, annonça-t-elle. J'ignore quand je rentrerai. Tu dois me promettre d'être bien sage et d'obéir à maman Bisi, même si tu ne partages pas son avis. Souviens-toi de ce que nous nous sommes dit à Jeba. Comme tu le sais, ton père a accepté que tu te fasses soigner à l'hôpital.

Ma marraine m'adressa un sourire encourageant, et mes yeux se posèrent sur la photo de Magdalena, ma sœur allemande.

— Je ne peux vraiment pas venir avec toi ? bredouillai-je.

En guise de réponse, ma mère se contenta de secouer la tête.

— S'il te plaît, maman, osai-je de nouveau.

Mais elle ne se laissa pas attendrir. Aujourd'hui, je sais que, cette fois-là comme les précédentes, elle avait demandé à papa David l'autorisation de m'emmener. Pour que je me fasse opérer en Allemagne. Mais il avait refusé. D'abord, parce que je n'avais pas de papiers (un problème que nous aurions pu résoudre sans difficulté) et, ensuite, parce qu'il ne voulait pas que ce voyage puisse être considéré comme un traitement de faveur par rapport à ses autres filles. Un argument dont je reconnais volontiers le bien-fondé, le simple fait de me rendre dans un hôpital ultramoderne étant déjà pour le moins inhabituel. D'ailleurs, bien que mon père m'eût témoigné ouvertement son affection au cours de notre dernière fête, c'était tout de même maman qui l'y avait poussé.

La simple vue de cette gigantesque clinique me terrorisa. À peine arrivée, il me fallut me séparer de maman Bisi, laquelle retourna à la maison. Je fus soumise à une longue et pénible série d'examens, mais mon pire souvenir reste d'avoir dû me déshabiller devant de nombreux inconnus. J'étais affreusement gênée et n'avais qu'une envie, celle de prendre mes jambes à mon cou et de m'enfuir. Ce que je tentai de faire, d'ailleurs, une fois, fonçant tête baissée dans une porte vitrée que je n'avais pas remarquée, ce qui me valut un bon bleu.

À la fin de la journée, mon père fit son apparition. C'était la première fois qu'il se préoccupait en personne de ma santé. On avait dû l'appeler pour qu'il prenne connaissance de l'avis des médecins. Sans un mot, il m'embarqua dans sa voiture et nous rentrâmes au harem. En apprenant le verdict, j'éprouvai un vif soulagement : il n'y aurait pas d'opération. Comme me l'expliqua ma mère à son retour, celle-ci aurait coûté plus de vingt fois le salaire annuel moyen d'un Nigérian. Si papa David avait donné son accord, il aurait été contraint de laisser plusieurs de mes sœurs accéder à des traitements équivalents, ce qui était impossible.

Dix ans plus tard, maman m'avoua toutefois qu'elle avait été en réalité fort indignée de sa décision : la revente des terres de mamie Maria avait rapporté tant d'argent à la communauté qu'on aurait pu m'offrir pas moins de trente prothèses !

Le seul résultat tangible de mon hospitalisation fut une paire de chaussures à talons compensés que j'abandonnai aussitôt dans un coin, car elles étaient très inconfortables. Au harem, où tout le monde se promenait pieds nus, personne n'y prêta attention. En revanche, quand maman rentra enfin d'Allemagne, elle m'ordonna de les mettre. Mais à ma grande joie, elles n'étaient déjà plus à ma taille et je me remis à boitiller comme avant, ce qui ne me dérangeait pas outre mesure, puisque j'en avais pris l'habitude.

Quelque temps après, nous fîmes nos bagages et rentrâmes à Jeba. Ne me sentant plus chez moi à Lagos, je n'étais pas mécontente de repartir. Au cours du voyage, alors que je somnolais sur la banquette, ma mère raconta à Bisi qu'elle avait eu les pires difficultés avec sa famille, laquelle lui reprochait d'avoir dilapidé son héritage. Manifestement, son séjour n'avait pas été de tout repos et je l'entendis même avouer à sa plus intime confidente qu'elle avait le sentiment d'avoir perdu ses racines.

Dès que j'eus foulé le sol de Jeba, Corn se précipita sur moi et me lécha le visage en remuant la queue. Mais il fut bien le seul à faire montre d'une telle joie. Sue était très malade et maman Ada, en proie aux pires tourments. La petite avait beaucoup de température et ne gardait aucune nourriture. Je la trouvais toute faible et amaigrie, incapable d'articuler le moindre mot. Nous, qui partagions le secret, savions que l'heure était grave. Hantées par la prophétie, Ada et moi ne quittions plus le chevet de Sue. Nous la bercions à longueur de journée et tentions de la faire boire le plus possible.

Maman Bisi étant convaincue qu'elle avait contracté la malaria, ma mère décida qu'il fallait l'envoyer dans la clinique de Jos, située à environ soixante kilomètres. Mais pour cela, elle avait besoin de l'approbation de papa David. Le jour du marché, elle se rendit donc au bureau de poste pour lui téléphoner. Insensible aux supplications de ses épouses, mon père refusa tout net de se lancer dans un traitement qui risquait de se révéler fort onéreux, arguant du fait que Sue n'était qu'une fille et que maman Ada aurait certainement beaucoup d'autres enfants.

Entre-temps, l'état de ma sœur avait encore empiré. À présent, elle n'était même plus capable de la moindre réaction. Dès le lendemain, elle décéda et il est possible que son hospitalisation n'y aurait rien changé. Bisi, Ada et maman lui creusèrent une tombe à côté des ignames. Bien que peu de nos voisins se soient déplacés, la mort d'un enfant n'étant pas rare dans nos contrées, ce fut un bel enterrement, plein de ferveur. Pour ma part, il s'agissait là de ma première confrontation avec la mort et, comme quiconque à mon âge, je ne pouvais admettre cette injustice.

« Le Seigneur donne et le Seigneur reprend », disait l'épitaphe qu'Ada avait choisie. Susan, cette fleur si pure, n'avait vécu que deux ans et demi. Dieu m'avait offert une petite sœur que j'aimais par-dessus tout. Et puis il me l'avait reprise...

Lorsque j'allais me recueillir sur sa tombe autour de laquelle voletaient les abeilles, j'essayais de me consoler en me disant qu'elle était au paradis. Mais rien n'y faisait : sans ce petit être auquel je m'étais dévouée corps et âme, ma solitude était trop écrasante. Malgré toute ma détermination, je devais être trop jeune pour la préserver des dangers qui la menaçaient. C'était la seule explication.

Pour fuir mon chagrin, je me réfugiais auprès de Corn, mon sauveur, au milieu des buissons de Bisi. Papa David m'aimait, bien sûr. Tout comme il avait aimé Sue, même s'il ne l'avait vue que deux fois. Et puis ses trente autres filles qui vivaient dans le harem et qui, toutes, étaient censées être traitées de la même manière... Certes, c'était là un excellent principe, mais y avait-il vraiment assez de place dans le cœur d'un père pour une telle progéniture ? Du haut de mes dix ans, je m'autorisai pour la première fois à en douter. Mes problèmes à moi n'étaient pas si graves. Mais Sue, elle, aurait sans nul doute eu besoin de l'aide de papa.

13
Mon frère Jo

Le brusque décès de Sue, trois semaines après notre retour à Jeba, m'avait changée. Je me renfermais sur moi-même et délaissais les cours d'Okereke, passant mon temps à chercher des coins tranquilles où me soustraire au regard des autres en compagnie de Corn. Quant à ma mère, elle avait beaucoup de travail. Mes deux mamans préférées et mes sœurs l'aidaient, ce dur labeur semblant permettre à Ada, devenue encore plus taciturne qu'avant, d'atténuer sa douleur. Pour ne pas être taxée de paresseuse, je m'étais mise à tresser des corbeilles en osier. Cette activité me mettait les mains en sang mais, au moins, me rendait utile à la collectivité, les travaux de la ferme m'étant, pour la plupart, interdits.

En attendant les pompes à eau commandées en Allemagne, il nous fallait installer un réseau de canalisations. Tous participèrent, y compris Okereke, car maman voulait profiter des premières pluies afin que les sols restent irrigués même pendant la saison sèche. Cette manière de penser à long terme était très occidentale, les Africains se contentant le plus souvent de subir les aléas climatiques au jour le jour. Cependant, jamais ma mère n'aurait pu raisonner ainsi si elle n'avait pas hérité de tout cet argent.

Un soir, j'appris qu'elle avait demandé à papa David de nous envoyer quelqu'un pour nous prêter main forte. Dans mon esprit, il ne pouvait s'agir que d'une femme sélectionnée pour sa vigueur ou, le cas échéant, d'un jeune couple que nous aurions installé dans notre dépendance. Quel ne fut donc pas mon étonnement lorsque, un beau jour – je ne me souviens pas exactement quand car, à la campagne, on perd vite la notion du temps –, j'entendis un bruit de moteur et aperçus un jeune homme sur une antique moto qui se frayait un passage au milieu des nids de poule !

Les autres étant dans les champs, je me trouvais seule dans mon atelier. Je m'approchai avec prudence, non sans m'être au préalable couverte de mon voile, et m'arrêtai à bonne distance de l'intrus. Essayant tant bien que mal de couvrir les aboiements de Corn, je l'interrogeai sur les raisons de sa venue.

Intimidé, il baissa la tête et m'annonça qu'il devait se présenter à maman Lisa. Je lui expliquai qu'elle n'était pas là ; il demanda à voir Bisi. Je lui fis la même réponse et il en parut fort désarçonné. D'apparence plutôt chétive, il semblait tout juste sorti de l'adolescence. Il avait de grands yeux et les oreilles décollées. La conduite sur nos routes défoncées l'avait mis en nage. Voyant que mon chien, dont je considérais le jugement comme infaillible, s'était couché à ses pieds, je cessai de me méfier et lui offris un verre d'eau qu'il but d'une seule traite. Il s'appelait Jo et il était l'un des fils aînés de Bisi. À ma naissance, il avait déjà quitté le harem, c'est pourquoi je ne le connaissais pas.

— Papa David m'envoie, annonça-t-il. Il m'a demandé de vous aider.

— Tu vas rester avec nous pour travailler ?

À ma grande surprise, le garçon acquiesça. La culture de la terre étant a priori une affaire de femmes, le vieil Okereke demeurait pour l'heure le seul homme de notre communauté. Jo me raconta qu'il avait mis cinq jours pour venir d'Ibadan. À notre retour du harem, nous étions passées par là et je savais que la route était longue. J'allai lui chercher les restes de pain et de soupe de notre petit déjeuner, qu'il se mit à manger avec avidité.

Lorsque je m'enquis de ses connaissances en agriculture, il me répondit qu'il avait passé ces six dernières années à travailler dans une exploitation des environs d'Ibadan que dirigeait un certain papa Felix. Ce nom ne me disait rien, mais Jo m'informa qu'il s'agissait d'un des représentants de papa David au sein de la *Family of The Black Jesus.* Bien que sa famille fût l'une des plus importantes de tout le pays, Jo s'empressa d'ajouter qu'il se félicitait d'avoir pu en partir, papa Felix étant un homme coléreux qui battait ses femmes et ses enfants.

N'ayant jamais vu mon père agir de la sorte, je restai un instant bouche bée.

— Je suis sûre que papa Felix est juste, dis-je. Sinon, papa David ne lui aurait pas accordé sa confiance.

Jo se tut. Aussi ne cherchai-je pas à en savoir davantage, mais je décidai, à l'avenir, de tendre l'oreille lorsque j'entendrais de nouveau parler du fameux papa Felix.

Le jeune homme s'installa avec Okereke dans le bungalow. Ada et Bisi l'aidèrent à emménager. Il avait vingt et un ans et, comme le voulait la coutume, avait été séparé de sa mère très jeune. Ce fut donc chez nous qu'il fit vraiment la connaissance de ses sœurs, Jem et Efe. Ils ne s'étaient auparavant rencontrés qu'à quelques reprises lors de nos fêtes de famille, ce qui ne leur avait guère donné l'occasion de parler.

Si Efe se plut aussitôt à son contact, Jem me confia un jour qu'il était certes un bon travailleur, mais qu'elle le trouvait un peu bête. Du haut de ses quatorze ans, elle commençait à s'intéresser aux garçons et, à mon avis, ne savait en réalité pas trop quelle attitude adopter face à cet inconnu au corps musclé. Quant à moi, sa présence ne me dérangeait pas du tout. Bien au contraire, elle m'offrait une distraction tout à fait bienvenue.

Grâce à Jo, notre installation fut vite achevée et la récolte se révéla excellente, au point que ma mère dut aller chercher du renfort dans des villages reculés. Au total, cette année-là s'imposa pour notre exploitation comme la meilleure depuis sa création. Lorsque papa David vint nous rendre visite, il promit de faire construire une chapelle plus grande pour nous récompenser de nos efforts. Maman, qui avait de son côté prévu de réinvestir nos profits dans l'acquisition d'engrais et d'un tracteur plus puissant, n'osa rien dire. Pourtant, notre succès était essentiellement dû aux nouveaux équipements financés avec son propre argent. Au lieu de cela, elle abonda dans le sens de mon père, confirmant que notre lieu de culte était vraiment trop exigu et précaire.

Sa mission accomplie, Jo était censé retourner à Ibadan auprès de papa Felix. Mais sa moto tomba en panne et il ne parvint pas à dénicher les pièces de rechange nécessaires à sa réparation. Aussi dut-il repousser son retour, ce dont je me réjouis, car il m'aidait beaucoup à combattre mes idées noires. De plus, il me traitait comme une vraie amie et ne faisait jamais allusion à ma jambe. Avec Corn, nous arpentions souvent notre réseau d'irrigation, resserrions çà et là quelques boulons ou optimisions le raccordement à tel ou tel puits. Ainsi, ma connaissance de notre domaine ne tarda pas à dépasser celle de ma mère, que je tenais dûment informée de chacune de nos initiatives.

Un soir, je surpris une conversation entre elle et maman Bisi. Cette dernière défendait le point de vue selon lequel Jo devait rester.

— Il suffit de voir Choga, commença-t-elle. Ça lui fait un bien fou d'être avec son grand frère. C'est un bon garçon et il l'aide à faire le deuil de sa petite sœur.

— Mais papa David ne veut pas qu'il s'attarde parmi nous. En plus, papa Felix a besoin de lui. Et puis, c'est ce qui était prévu.

— Papa Felix a une grande famille, alors que nous sommes peu nombreux.

Elle avait raison. Nous n'étions que cinq adultes et trois enfants pour exploiter une bonne vingtaine d'hectares. Sans aide extérieure, tous nos efforts auraient été vains. Pourtant, ma mère campait sur ses positions.

— Je sais bien, fit-elle. Mais nous ne pouvons pas nous opposer à la volonté de papa David.

— Mon fils m'a fait part de l'ambiance qui règne à Ibadan. Felix Egbeme est un homme cruel et brutal. Je n'arrive pas à comprendre pourquoi papa David le porte en si haute estime.

Recroquevillée dans ma cachette, je sursautai.

— Comprends-moi bien, Bisi. Je partage tout à fait ton opinion sur papa Felix. Mais l'affaire est plus compliquée que tu ne le penses. C'est lui qui devrait être ici à notre place. Tel était au départ le projet de papa David. Comme tu le sais, j'ai eu bien du mal à le convaincre que nous pouvions nous débrouiller seules avec Ada.

— Jamais il ne se serait donné autant de mal, lança ma maman préférée en haussant les épaules. Le travail n'est pas son fort.

— J'ai visité sa ferme. Il est vrai que c'est un piètre agriculteur, qui ne prend guère soin de ses terres et de son outillage.

— Et puis d'abord, s'écria Bisi, ce domaine t'appartient ! Tu es trop modeste, Lisa.

— Il est à nous, corrigea ma mère d'une voix douce que je ne lui connaissais pas. Si tu savais comme je me réjouis que nous puissions être ensemble ici.

— Et nous nous en sortons très bien seules. De toute façon, papa Felix n'a que faire du bonheur des siens. C'est un égoïste.

— Tu as raison. En plus, Jo est ton fils et je l'aime beaucoup. Il faut juste que nous trouvions un moyen de convaincre papa David... Mais j'ai bon espoir.

Elles partirent d'un rire complice. Je me redressai avec prudence et vis qu'elles se donnaient l'accolade. Ce jour-là, je compris que leur amitié traverserait toutes les épreuves.

Le lendemain, je racontai à Jo ce que j'avais entendu.

— Je crois que j'ai une idée, dit-il d'un air entendu en brandissant deux gros morceaux de bois. Je vais tailler une croix pour notre nouvel autel, et puis un Christ aussi. Ça devrait plaire à papa David.

Sans perdre de temps, Jo s'attela à la tâche sous mes yeux. Bientôt, j'eus envie de participer et m'attaquai à la seconde planche qui devait former la barre transversale. Nous ne disposions que d'un rabot, d'une scie et d'un couteau. Pourtant, au bout de quelques jours, notre œuvre commença à prendre forme. C'est alors que je surpris un nouvel échange entre maman Bisi et ma mère.

— Tu vois qu'il est précieux, déclara la première.

— Absolument. Et nous avons maintenant un argument à faire valoir auprès de papa David.

Je fus d'autant plus satisfaite que je n'étais pas étrangère au projet de Jo. Celui-ci me confia d'ailleurs la finition de la croix, tandis qu'il commençait à sculpter le Christ. Au départ, j'eus du mal à croire qu'il y parviendrait. Mais le résultat fut impressionnant et papa David, lorsqu'il inaugura notre nouvelle chapelle, se montra enthousiaste. Aux alentours de la ferme, ce n'était pas le bois qui manquait, et Jo fut autorisé à ouvrir un petit atelier pour y fabriquer des objets d'art ainsi que du mobilier. Désormais, il n'était plus question qu'il nous quitte. Il entreprit même de m'initier à la menuiserie. Bien que l'élève n'atteignît jamais le niveau de son maître, le savoir-faire qu'il me transmit me permit tout de même de concevoir une série de figurines représentant des animaux.

Pendant les mois de jachère, on se bousculait pour admirer notre travail et, non sans fierté, j'exhibais mes réalisations. Mon frère œuvrait de plus en plus vite et, au bout d'un moment, nous eûmes constitué une bonne réserve de statuettes, de récipients de toutes sortes et de madones. Maman nous suggéra alors de les revendre au marché afin de contribuer au budget de la collectivité. Rassuré sur son avenir, Jo avait fait réparer sa moto et il proposa de se rendre lui-même à Jeba pour y écouler la marchandise. Il nous indiqua au passage qu'il avait une certaine expérience en la matière, puisqu'il avait par le passé souvent tenu le stand de son ancienne famille à Ibadan.

Bisi décida de l'accompagner dès le lendemain. Mais elle se révéla trop corpulente pour pouvoir enfourcher l'engin de son fils. Voyant que ses efforts étaient vains et qu'ils suscitaient l'hilarité générale, elle lui proposa de m'emmener à sa place, ce qui nous permettrait en outre de transporter plus de choses. Rien ne m'aurait fait plus plaisir. Ma mère me prodigua ses derniers conseils, rajusta mon voile et nous prîmes la route. Je m'étais attaché dans le dos un grand foulard bourré de sculptures ainsi que de récipients contenant une spécialité allemande à base de légumes, dont nous espérions qu'elle remporterait dans la région un franc succès.

Jo et moi nous étions fait quelques illusions sur la robustesse de notre engin à deux roues : peu après notre départ, nous nous retrouvâmes avec un pneu crevé. Notre vitesse étant heureusement limitée par la mauvaise qualité des routes, il n'y eut pas trop de casse. Excités comme nous l'étions par la perspective de notre expédition, nous ne songeâmes pas une seule seconde à faire demi-tour et continuâmes à pied. Le trajet, qui aurait dû nous prendre trente minutes, dura de ce fait trois bonnes heures et nous dûmes nous satisfaire d'un petit coin isolé pour présenter notre marchandise.

Néanmoins, nous nous débarrassâmes sans problème des légumes de maman. Pour mes figurines, en revanche, la concurrence était rude, et elles se vendirent fort mal. En fin de compte, ce furent les madones, dont nous n'avions pourtant emporté que quelques exemplaires, qui suscitèrent le plus grand engouement. Même si nous ne parvînmes pas à liquider tout notre stock, nos recettes suffirent pour remplacer le pneu de la moto.

À compter de ce jour, j'attendais chaque samedi avec une impatience grandissante. Ma mère étant à présent convaincue du bien-fondé de la démarche, nous consacrâmes tous nos efforts à la fabrication des statuettes de la Vierge et, une fois que Jo eut appris à ses sœurs et à moi-même comment nous y prendre, notre production hebdomadaire atteignit pas moins de six unités !

Contrairement à nous, mon frère avait une certaine expérience de la vie et nous le questionnions à longueur de journée. Assez timide au début, il devint peu à peu plus loquace, évoquant notamment papa Felix et sa ferme. Là-bas, on était loin de la quiétude du harem de mon enfance. Bien que papa Felix eût beaucoup moins d'épouses que mon père, ses *queens* étaient très jalouses les unes des autres. De plus, la famille d'Ibadan souffrait de graves problèmes d'argent et devait rogner sur tout.

L'univers que Jo dépeignait m'était étranger. À Lagos, nous ne manquions jamais de rien ; à Jeba, nous devions certes faire attention, mais nos besoins étaient moindres. Ainsi, aucune d'entre nous – y compris Jem, qui était plutôt coquette – n'aurait songé à élargir sa garde-robe. Nous possédions chacune trois tenues, une pour la messe du dimanche et deux pour la semaine. Notre couleur traditionnelle, le blanc, étant peu appropriée aux travaux dans les champs, nous devions les laver très souvent. Quoi qu'il en soit, j'appréciais pour ma part beaucoup cette relative austérité.

Mais à Ibadan, les choses étaient bien différentes. Papa Felix lui-même semblait d'ailleurs être la cause de la pénurie permanente. Plutôt que de s'occuper de sa communauté, il ne cessait en effet d'accorder ses faveurs à de nouvelles femmes en les couvrant de cadeaux somptueux. Du moins était-ce là ce que nous avions déduit des paroles de Jo, celui-ci se contentant en général d'allusions assez évasives. Nous avions même cru comprendre que papa Felix avait eu des enfants en dehors des liens du mariage.

Malgré sa qualité de représentant de mon père, l'image que je me faisais de lui n'était donc pas très bonne. Mais après tout, en quoi cela me concernait-il ? Ibadan était si loin… En fait, ces histoires me confortaient surtout dans le bonheur que j'éprouvais à vivre dans notre ferme. Tout y était tellement simple, tellement paisible. Désormais, j'allais souvent me recueillir dans notre chapelle flambant neuve, où je m'agenouillais devant le Jésus noir pour le remercier de sa bienveillance.

14
Mon péché secret

La moto de Jo était très vieille et exigeait beaucoup d'entretien. Un beau jour, elle rendit l'âme sur le chemin de Jeba. Moteur cassé. Par chance, nous n'étions plus très loin de la ville et, tandis que je mettais les marchandises en place, mon frère emmena l'engin dans un garage. C'était la première fois que je me retrouvais seule sur le marché. Toutefois, Jo s'y étant fait des amis, il passait le plus clair de son temps à bavarder ; son absence ne changeait donc pas grand-chose. De mon côté, j'avais plutôt tendance à éviter le contact avec les gens, bien que mes vêtements immaculés qui tranchaient avec les tenues bariolées des autres vendeuses fussent tout sauf discrets. La plupart du temps, pour mieux supporter la chaleur, je desserrais mon voile, si bien que seuls mes cheveux restaient couverts.

Jeba n'est guère fréquentée par les Occidentaux car les principaux sites touristiques du plateau de Jos – les formations rocheuses, le parc de Yankari ou le célèbre musée en plein air – en sont distants d'une bonne soixantaine de kilomètres. Pourtant, ce jour-là, je tombai sur un Blanc. L'inconnu s'arrêta net devant mon étalage, se pencha et inspecta une à une nos sculptures. Oubliant d'un coup tous les préceptes de mon éducation, je me mis à le fixer.

— Ça n'a pas l'air de venir de la région, dit-il en anglais.

— Si, nous les fabriquons nous-mêmes.

— C'est ta mère qui a fait ça ? demanda l'étranger en désignant l'un des récipients en terre cuite.

Je hochai la tête.

— D'où vient-elle ?

— D'Allemagne. C'est une recette de là-bas... C'est très bon, ajoutai-je avant de lui indiquer le prix.

— Comment t'appelles-tu ?

Il était soudain passé à l'allemand et je lui répondis sans réfléchir. Constatant avec plaisir que je parlais sa langue, il s'installa par terre à mes côtés et se mit à me poser un tas de questions. Dès lors, plus aucune de mes clientes habituelles n'osa s'approcher. C'était mauvais pour les affaires et je commençais à me sentir mal à l'aise. Qu'allais-je raconter à mes mamans si je rentrais bredouille ? En plus, il y avait cette histoire de moto qui risquait de nous coûter beaucoup d'argent. Au gré de la conversation, l'homme en vint à évoquer les madones. Il me demanda pourquoi je vendais « des choses pareilles » et non des statuettes africaines traditionnelles.

— Parce que la Sainte Vierge est belle.

— Mais celle-ci est noire.

— Euh... oui, bredouillai-je.

Je n'y avais jamais pensé. Pour moi, le Christ lui-même l'étant, cela allait de soi.

— Tu sais quoi ? reprit-il. Je vais t'acheter les trois madones et tous tes légumes.

— D'accord, mais il faudra que je récupère les bols. Ils vont nous resservir.

C'était l'usage : après avoir consommé ce qu'il y avait dedans, mes clientes me les rendaient toujours. L'étranger se mit à réfléchir.

— Très bien, tu es là samedi prochain? fit-il en me tendant une liasse de billets. Au fait, ça ira comme ça?

Par réflexe, je vérifiai la somme, avant d'acquiescer.

— Alors à la semaine prochaine. Et si tu peux, amènes-en plus.

Il ramassa ses courses et s'en alla, me laissant là, interdite, devant les trois récipients vides qu'on m'avait rapportés plus tôt dans la matinée. Lorsque Jo revint, il me trouva en train de recompter pour la énième fois l'argent que m'avait donné l'Allemand. Cela représentait près de sept fois le produit de nos ventes hebdomadaires. Je racontai l'histoire à mon frère et nous prîmes à pied le chemin du retour. Il faisait une chaleur écrasante et le vent soulevait des tourbillons de sable. J'avais mal aux jambes. Quant à la moto, elle m'était presque sortie de l'esprit.

— Au fait, qu'a dit le garagiste? demandai-je à Jo.

— Qu'il fallait remplacer le moteur. Mais ça coûte très cher.

— Combien?

Jo me précisa le montant et je fis un rapide calcul mental. Si l'étranger revenait trois fois, cela suffirait. Et je ne serais enfin plus obligée de marcher. Épuisée, je m'assis au bord de la route et me mis à réfléchir à haute voix.

— Maman Lisa ne s'attend pas à ce que nous rapportions autant d'argent à la maison. Nous pourrions en garder une partie. Et les prochaines fois aussi. Ça nous permettrait de payer la réparation.

— Ce serait un péché, Choga. Nous n'avons même pas le droit d'y penser. Ce sont les ressources de la famille. Il est hors de question de nous les mettre dans la poche.

— Oui, je sais, répondis-je en me relevant.

Au bout d'un moment, je dus de nouveau faire une pause. J'étais à bout de forces et Jo fut contraint de me porter le reste du trajet. Lorsque nous arrivâmes enfin, la nuit tombait.

Je ne voulais pas commettre de péché. Mais je n'avais pas non plus envie de continuer à souffrir ainsi. À mes yeux, la seule alternative était d'utiliser notre grande brouette. Équipée de quatre roues, elle était très lourde et s'apparentait plus à une remorque. Seul un homme costaud comme Jo pouvait la manœuvrer lorsqu'elle était chargée. Mais je me voyais mal y prendre place au milieu des marchandises et me laisser véhiculer par lui. Je n'étais tout de même pas une princesse !

Il devenait urgent de trouver une solution. Je fis part à ma mère de mon aventure et lui remis l'essentiel de nos gains. J'en conservai toutefois le quart et le dissimulai, soigneusement enveloppé dans un sachet en plastique, dans une vieille boîte en fer que j'enterrai derrière les ignames. Loin d'avoir mauvaise conscience, j'étais même plutôt fière de mon stratagème et n'eus pas la moindre pensée pour mes sœurs qui, pourtant, travaillaient bien plus dur que moi. Quant à maman, elle ne fut guère émue d'apprendre que la moto de Jo était cassée.

— On se débrouillera bien sans, estima-t-elle. Il nous reste toujours le vieux tracteur. Si cet Allemand veut nous acheter encore plus de choses, c'est même mieux comme ça. Okereke te conduira.

Comme c'était la saison des pommes de terre, la présence de Jo était en effet requise à la ferme. Le samedi suivant, je me rendis donc au marché en compagnie de mon vieux professeur. À mon grand soulagement, il se contenta de me déposer et poursuivit sa route.

Cette fois-ci, l'étranger se présenta avec son épouse et un serviteur noir. Comme prévu, ils m'achetèrent la totalité de mon stock et me rendirent en échange les anciens bols qu'ils avaient lavés. La femme me complimenta sur les légumes et me questionna au sujet de ma mère. Celle-ci m'avait bien recommandé de ne surtout pas dire où nous habitions, estimant qu'il fallait à tout prix préserver notre tranquillité.

— Êtes-vous les seuls Allemands à vivre dans votre ferme ? me demanda ma nouvelle cliente.

— Je suis nigériane, répondis-je.

Puis elle voulut savoir si j'étais déjà allée en Allemagne et qui était mon père. Ses questions m'irritaient, mais je me consolais en pensant à ma petite cassette et à l'argent que je voulais amasser pour que Jo puisse faire réparer sa moto.

— Pourriez-vous me régler ? fis-je alors timidement.

L'homme fouilla dans son portefeuille et me tendit les billets. Je les empochai aussitôt. Sans même recompter, je sus qu'il y en avait encore plus que la fois précédente. La transaction effectuée, on m'interrogea de nouveau sur les madones. Pensais-je donc également que Jésus était noir ?

— Oui.

— Et ta mère aussi ?

Je hochai la tête.

— Mais ça n'a sans doute pas toujours été son avis, objecta la femme.

Perturbée, je laissai dériver mes pensées et me mis à contempler les chaussures de mon interlocutrice. Elles étaient flambant neuves, et en cuir. Cela pouvait-il être confortable ? Puis je pensai à ma sœur allemande, Magdalena. Portait-elle aussi les mêmes lorsqu'elle courait dans les prairies au milieu des marguerites ?

— Allons, laisse la petite fille tranquille, intervint le mari.

Il me donna encore de l'argent et me prit les cinq vierges que nous avions fabriquées dans la semaine.

— Es-tu heureuse, mon enfant ? me demanda l'étrangère.

J'avais toujours les yeux rivés sur ses pieds. Ils étaient très fins et tout blancs.

— Dites, est-ce que je pourrais essayer vos sandales ? hasardai-je.

Elle les retira et m'aida à les enfiler. Bien qu'elles fussent beaucoup trop grandes, je fis quelques pas. Soudain, j'entendis une exclamation.

— Mon Dieu, c'est une infirme !

— Attention, enfin ! Elle comprend ce que tu dis.

Les chaussures étaient très souples. Rien à voir avec celles que l'on m'avait données à Lagos. C'était une sensation fort agréable. Je les rendis à leur propriétaire. Sans un mot, elle les remit et s'en alla. Je ne la revis plus jamais. Quant à son mari, il revint encore trois fois avec son boy et m'acheta presque tous mes produits à prix d'or.

À chaque fois, je conservais le quart du montant, remettais le reste à ma mère, puis me rendais dans ma cachette pour y dissimuler mon pécule. Malheureusement, la source avait fini par se tarir.

— C'est dommage, commenta maman. Ce revenu supplémentaire ne nous a pas fait de mal.

À la moindre occasion, j'allais déterrer ma petite boîte pour recompter les billets. La somme était coquette et j'aurais eu bien du mal à l'amasser si ce bienfaiteur ne s'était pas présenté. Mais, ainsi immobilisée, elle était sans valeur. Si je la remettais à mon frère, il me demanderait sûrement d'où je la tenais... Désormais, lorsque je me rendais dans la chapelle, il me semblait que notre Jésus me regardait d'un air réprobateur. Comme s'il savait que j'avais commis un péché.

Je me sentais coupable. De plus, j'étais consciente que nous avions besoin d'argent. Aussi décidai-je d'aller puiser chaque samedi dans ma réserve et de restituer ainsi petit à petit mon magot, en même temps que le produit des ventes du jour. Mais maman ne manqua pas de relever le caractère inhabituel de nos rentrées et me prit à part.

— Tu sais, commença-t-elle, il ne faut pas pratiquer des prix trop élevés. Les gens d'ici sont pauvres et nous devons nous comporter en bons chrétiens, sans surévaluer nos marchandises ni favoriser qui que ce soit.

Et c'en fut terminé de mon petit manège. Un jour, je remarquai sur le marché une vendeuse qui proposait les mêmes sandales que celles de l'Allemande. Comme je rôdais autour de son étalage, elle me suggéra de les passer. Elles étaient tout à fait à ma taille et, si j'avais voulu, j'aurais pu m'en offrir trois paires. Mais je renonçai quand même à les acheter car je n'aurais pas pu les porter. Chez nous en effet, tout le monde marchait pieds nus, à l'exception de maman lorsqu'elle devait conduire le tracteur.

De ma rencontre avec le couple de touristes, j'avais tiré une précieuse leçon : la question n'est pas tant d'avoir de l'argent que de l'utiliser à bon escient. Cette expérience m'a marquée. Par exemple, je ne comprends toujours pas comment on peut avoir une grosse voiture alors que les gens qui vous entourent sont contraints d'aller à pied, parce qu'ils sont trop pauvres pour s'en acheter une. Une telle attitude suscite immanquablement la jalousie. Et ce sentiment ne devrait pas avoir de place dans notre monde.

15
Un vœu inexaucé

Ayant connu une croissance aussi soudaine qu'importante, j'avais atteint, à moins de treize ans, la taille de ma mère. Même si, en conséquence, mon problème à la jambe s'était aggravé, la vie à la campagne m'épanouissait.

— Tu seras très belle, plus tard, me prédit un jour Bisi.

Ma mère acquiesça en silence.

— Papa David va sûrement bientôt te trouver un homme, ajouta Ada.

— Mais je suis infirme, personne ne voudra se marier avec moi ! m'écriai-je.

L'espace d'un instant, aucune de mes mamans ne sut quoi répondre. Puis ma mère se leva et vint me passer la main dans les cheveux.

— Enfin, qu'est-ce que tu racontes, Choga Regina ? Qui t'a mis ça dans la tête ?

— Peu importe. De toute façon, le résultat est là, rétorquai-je en haussant les épaules.

À la même époque, Jo avait entrepris de sculpter une nouvelle statue de la Vierge, plus grande que celles que nous vendions sur le marché. Il y consacrait beaucoup de temps et ne semblait pas vouloir que je le regarde travailler. Aussi ne découvris-je le résultat qu'à Noël. La madone fut installée sur un autel qu'Ada et Bisi avaient dressé contre un mur de notre chapelle. Elle était vêtue d'une ample robe blanche et j'appris qu'elle était censée veiller sur les femmes enceintes. Par la suite, il en vint en effet souvent des environs, qui se recueillaient devant elle.

Jo avait vraiment réalisé une œuvre superbe. Comme il avait eu recours à un bois plus clair, maman Bisi estimait qu'elle me ressemblait. Mais ce n'était pas du tout mon avis. En la contemplant, je songeais à ce que m'avait dit la femme allemande : ma mère n'avait-elle donc pas toujours cru que Jésus-Christ était noir ?

Peu de temps après, j'osai enfin l'interroger sur ce point. En guise de réponse, elle me demanda pourquoi je lui posais cette question et je lui racontai l'épisode du marché.

— En Allemagne, les gens pensent que Jésus était blanc, dit-elle.

— Mais ce n'était pas le cas, n'est-ce pas ?

Maman me narra alors le renvoi de papa de l'école, qui l'avait conduit à fonder la *Family of The Black Jesus.*

— En fait, peu importe la couleur des gens, conclut-elle. La seule chose qui compte, c'est de savoir si ce sont de bonnes personnes ou non.

— Et si un jour j'ai des enfants, de quelle couleur sera leur peau ?

— Dieu ne se soucie pas de cela. Il ne s'intéresse qu'à la pureté du cœur.

Cette conversation me tracassa longtemps. Pour en savoir plus, j'aurais volontiers questionné mes sœurs et Jo. Mais je n'osais pas, car je redoutais qu'ils se moquent de moi. Au petit matin, lorsque je me retrouvais face à la Vierge blanche, je ne savais plus si je devais lui demander un enfant blanc ou noir. Et puis j'eus soudain une illumination : ce que je désirais, c'était une fille qui ressemble à Sue, ma petite sœur. Mais surtout, il fallait qu'elle soit en bonne santé. De toutes mes forces, je me mis donc à prier pour qu'elle ne meure pas avant d'avoir été mère à son tour.

À présent, je savais aussi à quoi serviraient mes économies. Je me rendis dans ma cachette, les déterrai et les recomptai une nouvelle fois. Puis je creusai un trou encore plus profond et les y enfouis de nouveau, avant de retourner auprès de la madone pour lui faire part de ma résolution. Cette fois-ci, je sus trouver les mots justes, l'implorant de m'aider à choisir un bon médecin au cas où mon enfant tomberait malade. Pour le reste, je saurais me débrouiller seule. Ma conviction était faite : si cet argent était tombé entre mes mains, c'était pour que je puisse venir en aide à quelqu'un d'autre. Le conserver ne constituait dès lors plus un péché.

Telle était ma façon de penser vers l'âge de treize ans. Mon horizon était étroit et j'ignorais tout de la vie d'adulte.

La ferme de Jeba était devenue la plus rentable des exploitations de papa David. Désormais, celui-ci venait régulièrement nous rendre visite. À chaque fois, nous organisions des fêtes somptueuses auxquelles étaient conviés tous ceux qui comptaient dans la région. Par ce biais, mon père voulait leur montrer que c'était lui, l'homme de la lointaine Lagos, qui régnait parmi nous. Les étrangers se pressaient alors dans notre *compound* et nous les régalions à profusion au milieu des chants et des danses. Pendant toutes ces années, maman avait sacrifié à la tradition de nourrir les enfants le dimanche. Mais lorsque papa David était présent, un traitement de faveur leur était réservé. Dans ses discours, mon père ne cessait de marteler que, si nous avions si bien réussi, c'était parce que nous vivions dans le respect de Dieu. Aujourd'hui, je ne peux m'empêcher de penser que nos efforts y étaient aussi pour quelque chose…

Un jour, je le surpris en pleine conversation avec ma mère. Il était question de notre ancien tracteur que nous utilisions pour nous rendre au marché.

— Il tombe sans cesse en panne, se plaignait maman. Les réparations nous coûtent une fortune. Le garagiste m'a dit qu'il pouvait m'en obtenir un neuf à un excellent prix et j'ai déjà mis de côté l'argent nécessaire.

— Mais vous en avez un second qui marche très bien. Mes autres familles, elles, doivent se contenter de leurs vieilles machines. Tu ne crois pas qu'il serait juste de leur donner priorité ?

— Certes, papa David. Mais nous en avons vraiment besoin. D'ailleurs, mieux notre ferme est gérée, plus la communauté dans son ensemble en profite. Et puis tu sais que ce n'est pas mon genre de dépenser sans compter.

— Le problème est que tu ne t'exprimes qu'au nom des tiens, rétorqua papa David avec fermeté. Alors que moi, ma mission consiste à me préoccuper du bien de tous.

Sans un mot, ma mère se leva et alla dans sa chambre située juste à côté de la mienne. Quelques instants plus tard, je la vis revenir et remettre à mon père une liasse de billets qu'il fit aussitôt disparaître sous sa tunique. N'étant pas censée avoir assisté à la scène, je ne pus bien sûr demander par la suite aucun éclaircissement. Sur le moment, je crus cependant devoir donner raison à papa David, ses motivations répondant tout à fait aux enseignements de la religion chrétienne. Mais je ne devais guère tarder à me ranger du côté de maman : notre vieux tracteur devint bien vite inutilisable et nous l'abandonnâmes dans la grange. À présent, la seule solution qui nous restait était la brouette. Incapable de la traîner toute seule jusqu'au marché, je me fis encore une fois accompagner par Okereke.

Bien que nous eussions pris la précaution de partir avant le lever du soleil, nous étions trop chargés et progressions avec une lenteur extrême. Bientôt, nous nous retrouvâmes à peiner sous la canicule. Pour mon vieux maître, l'effort était trop important. À contrecœur, il dut solliciter mon aide et je me mis à pousser la brouette tandis qu'il la tirait. Lorsque nous arrivâmes enfin à Jeba, il était près de midi. La plupart des clients étant repartis, nos ventes se révélèrent médiocres et nous dûmes ramener plus de la moitié de notre marchandise, ce qui acheva de nous décourager. À notre retour, il faisait déjà nuit. Les deux jours suivants, j'eus si mal aux jambes que je pus à peine marcher. Pour ne rien arranger, j'avais en outre le sentiment désagréable de n'être guère utile à la famille.

Malgré tout, je n'envisageais pas une seule seconde de renoncer. Pour leur part, mes sœurs ne se sentaient pas le courage de m'assister : Jem ne savait pas assez bien calculer et Efe était trop timide pour demander de l'argent à qui que ce soit. Elle aurait sans doute tout distribué gratuitement. Aussi fut-ce de nouveau Jo qui prit le relais. Bien qu'appréciant le « travail des femmes » dans les champs, il préférait de loin se rendre en ville.

Mais nous n'allâmes pas bien loin : l'épuisement de la semaine précédente ayant laissé des traces, je dus jeter l'éponge.

— Continue tout seul, suggérai-je. Tu te débrouilleras sans moi. Je t'attends ici.

— Quoi ? Tu veux te la couler douce toute la journée et me laisser me débattre seul avec ces bonnes femmes ? rétorqua mon frère en souriant. Et puis je te vois venir : tu vas me reprocher de m'être fait rouler. Dans ces conditions, je préfère encore ça !

Joignant le geste à la parole, il me souleva de terre et m'assit dans la brouette, avant de me traîner jusqu'à la ville. Ses intentions étaient bonnes, je le sais bien. Il n'en reste pas moins que le fait de rester là, inactive, pendant que Jo suait sang et eau, me déprima encore plus que d'attendre son retour au bord de la route. À aucun prix je ne voulais être traitée comme une infirme.

— Mais tu n'y es pour rien, si tu as du mal à marcher, protesta-t-il. Et puis toi, au moins, tu es intelligente. Il faut se rendre à l'évidence : nous formons la paire idéale.

— Ta future épouse a bien de la chance, répondis-je, regrettant une fois de plus qu'il soit mon frère.

— Figure-toi que je l'ai déjà trouvée, la femme idéale.

— Ah bon ? Je la connais ? C'est une des filles qui travaillent avec nous ? Allez, dis-le-moi !

— Non, je ne peux pas.

Jo se retourna et je ne vis plus que les muscles de ses épaules qui jouaient au rythme de ses pas.

Deux semaines plus tard, alors que nous rentrions du marché, j'aperçus maman qui nous observait, l'air réprobateur.

— Tu sais, Choga Regina, Jo n'est pas ton serviteur, commença-t-elle, une fois qu'il eut regagné ses quartiers. La marche te fait souffrir, j'en ai conscience, mais ça ne peut pas durer comme ça. Il faut que nous trouvions un autre moyen d'acheminer nos produits en ville.

— Mais ça ne le dérange pas. Il le fait volontiers.

— Ce n'est pas la question.

Cet échange sonna le glas de mes virées hebdomadaires et je vis apparaître, chaque samedi, des camions qui venaient chercher notre cargaison pour la livrer à Jeba. Le point culminant de ma semaine était donc redevenu un jour comme les autres. Du même coup, je perdis mon intérêt pour la sculpture. À quoi bon consacrer tant d'énergie à fabriquer des figurines, si je n'avais plus le droit de les vendre ? Tout était de ma faute : si j'avais été comme les autres, ça ne serait pas arrivé.

Désormais, pendant les offices du dimanche, je priais la Sainte Vierge pour qu'elle fasse de moi une fille normale, capable de travailler et de se rendre utile. Mais mon vœu demeura inexaucé. Il était trop ambitieux.

16
La fiancée dans le puits

Un jour, je vis de nouveau un camion remonter la route poussiéreuse qui menait à notre ferme. Contrairement à ce que je crus tout d'abord, il ne s'agissait pas d'une quelconque livraison de marchandises. L'homme qui était assis au volant venait chercher Jem pour l'épouser. À dix-sept ans, la fille de maman Bisi avait certes atteint l'âge où les Africaines convolent, mais personne ne l'avait prévenue que papa David lui avait trouvé un mari ! Celui-ci, qui s'appelait papa Sunday, conduisait un véhicule de marque Mercedes, ce qui le désignait comme un chef de famille important. Mais il était très gros et avait une tête de moins que Jem...

Dès qu'elle l'aperçut, sa promise se mit à pousser de grands cris. Puis elle tourna les talons et détala à toutes jambes. Aussitôt, nous partîmes à sa recherche. Mais notre quête se révéla infructueuse. Jem avait disparu depuis deux jours lorsque je la retrouvai par hasard, accroupie au fond d'un puits désaffecté. En la voyant là, je repensai à nos jeux d'enfants, dans l'escalier extérieur de notre maison du harem. À l'époque, elle voulait toujours être celle que l'on sauvait des griffes de la sorcière... Depuis qu'elle s'était moquée de ma jambe, nos rapports s'étaient toutefois quelque peu détériorés. À l'inverse de sa sœur, elle était d'ailleurs plutôt distante avec moi et passait son temps avec les filles des environs.

Mais à présent, elle était désespérée et je la plaignais de tout cœur. Pouvait-on vraiment l'obliger à vivre avec un homme qui était trois fois plus âgé qu'elle ? Sans même avertir Efe, j'allai lui chercher de quoi manger.

— Tu sais, Choga, je regrette d'avoir été aussi méchante avec toi, me dit-elle lorsque je revins, les yeux brillants d'émotion.

— Mais tu ne peux pas rester là-dedans éternellement, répondis-je.

— Je préfère encore croupir ici que partir avec ce type. Il finira par se lasser. Du moment que tu ne me laisses pas mourir de faim, je tiendrai le coup.

Les choses ne se passèrent pas tout à fait comme nous l'avions espéré : son fiancé rebroussa bien chemin, mais il s'empressa d'appeler papa David pour l'informer de sa déconvenue. Quelques heures plus tard, il reparut à la ferme avec une mine radieuse. Je me précipitai vers le petit groupe qu'il formait avec ma mère et maman Bisi pour écouter ce qui se disait.

— Papa David est un homme sage, déclara-t-il, triomphant. Il m'a dit que Efe aussi avait atteint sa maturité et que je pouvais donc la prendre pour épouse à la place de Jem.

— Il a vraiment dit ça ? demanda maman d'une voix blanche.

— Mais elle a à peine quinze ans ! renchérit maman Bisi sur un ton implorant.

— Efe, où es-tu ? Viens me voir ! lança papa Sunday.

Ma demi-sœur était en train de se livrer à son occupation favorite près de la grange : elle s'amusait à lancer des cailloux dans un vieux pot de fer, le nombre de projectiles qui atteignaient leur cible étant censé déterminer celui de ses futurs enfants.

— Tu es très jolie, commenta Papa Sunday en l'inspectant de la tête aux pieds. J'accepte volontiers la proposition de papa David ! Il m'a dit de t'emmener sur-le-champ.

— Mais pour aller où ? demanda-t-elle, surprise.

— Tu vas devenir la femme de papa Sunday, lui expliqua maman Bisi d'une voix à peine perceptible.

— Mais, et Jem alors ? commença-t-elle, incrédule.

Elle s'interrompit et contempla les visages fermés de l'assistance. Réalisant soudain ce qui lui arrivait, elle partit en courant se réfugier dans notre chambre. Je la rejoignis et la trouvai allongée sur son lit, en pleurs. Je la pris dans mes bras et tentai de la consoler, mais ne parvins pas à trouver les mots justes. En voulant protéger Jem, je venais de précipiter bien malgré moi ma sœur préférée dans les bras de ce vieillard.

— Va-t'en, Efe, vite ! Fuis pendant qu'il est encore temps, m'écriai-je en ouvrant la fenêtre en grand.

— Ça ne sert à rien, Choga. Ils finiront par me retrouver, de toute façon.

Puis, sans un mot, elle se mit à ranger ses quelques effets personnels et ses trois robes dans un sac. Nous nous embrassâmes et ressortîmes de la pièce.

À peine eut-elle reparu que l'on installa Efe dans la voiture. Il ne s'agissait pas de rééditer la mésaventure. Après s'être vu offrir quelques racines d'ignames, du maïs et des semences, elle et son fiancé quittèrent notre ferme pour se rendre à Kaduna, dans la famille dont papa Sunday était le chef.

Bisi était furieuse contre Jem. Elle considérait que sa fille l'avait humiliée. Ma maman préférée, que je n'avais jusqu'alors jamais entendue prononcer un mot plus haut que l'autre, écumait de rage. Soucieux de calmer les esprits, mon vieux maître Okereke me prit à part et me dispensa une leçon improvisée sur le bien-fondé de nos coutumes. Désireuse d'en savoir plus, j'allai ensuite trouver ma mère pour lui demander si j'étais appelée moi aussi à subir un jour le même sort.

— Lorsque le moment sera venu, ton père te choisira un mari, me répondit-elle.

— Et je ne pourrai pas au moins faire sa connaissance avant ?

— L'amour entre un homme et une femme vient avec le temps, me confia-t-elle sur un ton apaisant.

On nous avait toujours appris que la seule finalité du mariage était la procréation. Dans cette logique, ce n'était pas à la femme de choisir son époux, mais à son père de veiller à ce qu'elle soit confiée à un homme qui la respecte et s'occupe bien d'elle, afin que leurs enfants soient élevés dans les meilleures conditions. Dès lors, le comportement de Jem ne pouvait qu'être considéré comme égoïste et vaniteux. En prenant son parti, je m'étais donc élevée contre la volonté de mon père qui, pourtant, avait agi dans son intérêt.

— Tu sais où est Jem, n'est-ce pas ? me demanda maman, qui devait soupçonner ma complicité.

— Que va-t-il lui arriver maintenant ?

— Je vais voir ce que je peux faire pour elle. Mais il se peut que papa David se mette très en colère.

— Va-t-il la chasser ?

— Une fille doit obéir à son père. La parole d'un homme n'a plus de valeur si son propre enfant peut la réfuter.

Elle n'eut pas besoin d'en dire plus. Le message était passé : ce n'était pas un exemple à suivre. Quant à maman Bisi, elle se doutait que le comportement de Jem risquait d'être lourd de conséquences. Peut-être ses pratiques occultes le lui avaient-elles d'ailleurs confirmé. Aussi m'ordonna-t-elle de demander à Jem de revenir sur-le-champ pour demander pardon.

— Ça y est ? Il est parti ? demanda ma sœur dès qu'elle me vit.

— Il a pris Efe à ta place, elle va se marier avec lui, commençai-je avant de lui raconter toute l'histoire.

— Eh bien, j'ai eu chaud ! Allez, aide-moi à sortir d'ici.

Je n'en crus pas mes oreilles. Pour la première fois de ma vie, j'éprouvai de la haine pour quelqu'un.

— Ne me dis pas que le sort de ta sœur t'indiffère.

— Papa David en a décidé ainsi, c'était donc la volonté de Dieu.

Je restai sans voix. Dieu avait bon dos ! C'était tout de même un peu facile. Pendant plusieurs jours, sur ordre de ma mère et de maman Bisi, Jem resta enfermée dans la chapelle à faire pénitence. Mais je savais qu'au fond d'elle-même elle ne regrettait pas son comportement.

Son prétendu repentir n'empêcha toutefois pas mon père de faire irruption chez nous, moins d'une semaine après. Avant même qu'il fût sorti de sa limousine avec chauffeur, je sus qu'il allait y avoir du grabuge. Je courus dans la chambre de maman dont j'entrouvris la fenêtre, puis ressortis me cacher. Mon intuition ne m'avait pas trompée : ce fut bien là que l'explication eut lieu.

— Tu m'as mis dans une situation intenable, Lisa, commença mon père. Cette histoire va faire le tour de toutes les *familles*.

— Sache que je le regrette de tout cœur et que Jem a été punie comme il se doit. Mais ne crois-tu pas que tu aurais dû nous faire part de ta décision avant ? Ainsi, Bisi et moi aurions eu le temps d'y préparer la petite.

— Papa Sunday est un homme important à Kaduna, je n'étais pas en mesure de lui refuser quoi que ce soit, reprit papa David, sans tenir le moindre compte de la remarque de ma mère. À présent, il me faut marquer mon autorité par un signe fort. Faute de quoi, je perdrais la face.

— Quelle est ta décision ?

— Vous êtes l'exploitation la plus prospère de la communauté. Je dois y implanter une famille digne de ce nom, avec un vrai chef à sa tête.

— Je sais que j'ai commis une erreur, David. Mais ce n'est pas une raison pour me priver de ma ferme.

— Tu ne dois pas le prendre comme une sanction, Lisa. Mais c'est dans l'intérêt de tous et je ne reviendrai pas sur ma décision.

— Qui va nous succéder ?

— Papa Felix. Il arrivera d'ici quelques jours. J'aimerais que tu le mettes au courant de tout. Dès qu'il aura pris ses marques, je viendrai vous chercher, toi et les autres.

J'eus un coup au cœur. Comment pouvait-il nous faire une chose pareille ? Nous étions chez nous !

— Tu sais, Lisa, reprit-il, c'est vraiment la meilleure solution. Et puis, nous avons besoin de toi à Lagos.

— Toi, tu as besoin de moi ? fit maman en éclatant de rire.

— Absolument, Lisa. Je…

— Mais qu'est-ce que tu fais là, toi ? entendis-je soudain dans mon dos.

C'était maman Bisi ! Elle m'avait surprise en train d'écouter. Je lui fis signe de se joindre à moi, mais elle me prit par le bras et m'entraîna sans ménagement.

— Papa David nous renvoie à Lagos ! m'écriai-je une fois que nous nous fûmes suffisamment éloignées.

— Je m'en doutais, gémit-elle. Raconte, qu'est-ce qu'ils ont dit ?

Tout d'un coup, le fait d'écouter aux portes ne semblait plus la gêner du tout… Dès que j'eus terminé mon rapport, elle me prit dans ses bras.

— Il ne faut pas perdre espoir, ma petite. La vie continue.

— Je me sens si coupable. Jamais je n'aurais dû protéger Jem.

— Ne dis pas de bêtises. C'est le destin. Tu n'y es pour rien. En tout cas, cela prouve bien que les hommes ne sont pas infaillibles. Ils feraient mieux de nous consulter de temps à autre. Un arbre isolé ne constitue pas une forêt. De même, un homme à lui tout seul n'est pas une famille.

Bien que toute sa vie s'en trouvât chamboulée, maman Bisi ne poussa pas la contestation plus loin. Quant à ma mère, elle parvint, malgré sa déception, à justifier le comportement de papa David. Après nous avoir tous rassemblés, elle déclara :

— Nous sommes trop peu nombreux pour bien gérer cette ferme. Aussi papa David a-t-il choisi un homme expérimenté pour prendre notre place.

Tout en l'entendant expliquer qu'il s'agissait de Felix et quelle serait la suite des événements, j'observais Jo et maman Bisi. Il me semblait pouvoir lire dans leurs pensées. Chacun savait que papa Felix était un piètre agriculteur.

— Décidément, je ne parviendrai jamais à lui échapper, me confia Jo après notre réunion. Ce pays est si grand ! Pourquoi faut-il donc qu'il me suive partout où je vais ?

Quelques jours plus tard, notre successeur se présenta en compagnie de trois de ses femmes et de cinq enfants. Mon père resta une journée supplémentaire, qu'il consacra entièrement au nouveau maître des lieux. Puis il se prépara à repartir avec Bisi et Jem. Lorsque le moment fut venu, je les regardai embarquer dans la voiture qui démarra aussitôt. Pendant un long moment, je restai là, immobile, les yeux fixés sur le nuage de poussière qu'ils avaient laissé derrière eux. Ma tristesse était immense. Jusque-là, je n'avais jamais dû me séparer de maman Bisi. Le fait de la perdre, ne serait-ce que pour quelque temps, constituait un bien lourd tribut à payer à la désobéissance de Jem. Tout en refoulant mes larmes, je songeai que c'était égoïste de ma part de raisonner ainsi. Néanmoins, je persistais à considérer comme injuste le fait de nous sanctionner toutes pour le comportement d'une seule. De surcroît, je ne pouvais m'empêcher de comprendre Jem qui avait voulu s'opposer à cette union forcée.

17
Le chameau et l'éléphant

Au premier abord, papa Felix paraissait plutôt sympathique. Âgé de quarante-six ans, il était assez fringuant et affichait une gaieté permanente. Mais son rire sonnait faux et, découvrant ses grandes dents blanches, il le faisait un peu ressembler à une bête sauvage. Son regard de prédateur à l'affût, sans cesse en mouvement, venait renforcer cette impression. L'expérience de Jo ayant achevé de me persuader que sa bonhomie était feinte, j'en étais arrivée à me demander pourquoi mon père, d'ordinaire si clairvoyant, ne se rendait pas compte de la vraie nature de son représentant. J'essayais toutefois de me raisonner en me disant que j'étais victime de préjugés. Après tout, je ne connaissais Felix que par ouï-dire. Le seul fait établi était que Corn, qui s'était toujours distingué par son flair infaillible concernant le genre humain, avait accueilli notre nouveau dirigeant par des grognements.

La tenue de papa Felix ne laissait guère planer le doute sur la personne à laquelle il cherchait à ressembler : comme papa David, il portait en toutes circonstances un boubou blanc brodé d'or et un bonnet. Mais, à son grand dam, il était beaucoup plus petit que lui. Maman Ada, qui le dépassait elle-même d'une bonne tête, ne l'appelait d'ailleurs plus que « le papa qui voulait être grand ». De plus, tandis que chacun des gestes de mon père était empreint de lenteur et de majesté, ce qui contribuait pour une large part à son charisme, Felix semblait mû par une agitation intérieure permanente. Surgissant de nulle part, il apparaissait toujours à l'improviste, lorsque l'on s'y attendait le moins. Pour un dirigeant, cette attitude n'était pas mauvaise en soi, puisqu'elle aurait pu donner l'impression qu'il était omniprésent. Mais papa Felix, au lieu de distribuer des conseils efficaces, se lançait dans des conversations interminables sur des points de détail. Au total, ses interventions étaient contre-productives et, plutôt que de motiver ses troupes, il les empêchait de travailler.

Malgré tout, les travailleuses de la ferme paraissaient l'apprécier car il les traitait avec délicatesse. Il faut reconnaître que ma mère ne les avait pas habituées à cela. Le matin, elle se contentait de répartir les tâches et de nous faire part de son propre emploi du temps pour le cas où des difficultés surviendraient. Mais au moins, de son temps, les règles du jeu étaient claires.

Dès le départ de mon père, Felix entreprit de procéder à une nouvelle répartition des chambres. Pour ce faire, il convoqua tout le monde dans le grand hall d'entrée, à l'exception de Jo et d'Okereke qui, habitant dans la dépendance, n'étaient pas concernés. Mon frère et mon vieux maître, qui cherchaient à éviter papa Felix par tous les moyens, ne semblèrent pas mécontents de cette dispense.

— Lisa, Ada, Ngozi et Funke se mettront ensemble, déclara Felix.

Jusque-là, ma mère avait partagé avec Bisi l'ancienne bibliothèque de la maison. C'était une très grande pièce qui jouxtait l'entrée, ce qui lui permettait de surveiller les allées et venues. Quant aux trois autres mamans désignées par Felix, elles allaient loger dans l'ancienne chambre à coucher du maître de maison, située au premier étage.

— Dès que mon mari sera venu me chercher, ma chambre sera à ta disposition, rétorqua ma mère sur un ton poli mais ferme.

— Comment ? Tu oses me contredire ? siffla Felix.

— Je me contente de suggérer que tu prennes ton temps pour t'organiser. D'ici quelques mois, tu dirigeras cette exploitation comme tu l'entends.

— De quel droit te comportes-tu ainsi ? Tu n'es même pas une Africaine ! Tu nous considères comme tes esclaves ou quoi ?

— C'est Lisa qui a fait de cet endroit ce qu'il est devenu, intervint maman Ada. Nous lui devons le respect et ça n'a rien à voir avec la couleur de sa peau. Pour l'heure, tu n'es encore qu'un visiteur dans notre maison. Aucune d'entre nous ne tolérera que tu t'en prennes à Lisa.

Felix jeta un regard furieux à l'assemblée. Ses épouses baissèrent la tête.

— Nos aides iront s'installer là-bas, dans le bungalow, reprit-il.

— Crois-tu que ce soit une bonne idée qu'elles vivent avec Okereke et Jo ? demanda ma mère.

— Décidément, on dirait qu'aucun de mes projets ne trouve grâce à tes yeux.

— Loin de moi l'intention de contester ton autorité, mais, pour ma part, je n'ai jamais évoqué devant tout le monde les questions ayant trait à la direction de la ferme. C'est toi qui l'as voulu ainsi.

— Très bien. Puisque tu n'es pas disposée à collaborer, nous devrons attendre ton départ.

— Dis-moi, Felix, connais-tu l'histoire du chameau et de l'éléphant ? lança Ada.

— Bien sûr ! rugit le futur maître des lieux, avant de tourner les talons et de disparaître.

— Je ne pense pas qu'il la connaisse, ajouta Ada avec perfidie. Car il se comporte exactement comme l'éléphant.

Toutes les femmes éclatèrent de rire, y compris celles de Felix.

Le soir venu, alors que nous étions assises sous la véranda, Corn à nos pieds, je demandai à Ada de me raconter cette fable.

— Un chameau et un éléphant arrivent dans une forêt, commença-t-elle. Heureux de se retrouver au milieu de toute cette verdure, le chameau, habitué à la sécheresse et à la pénurie, commence à faire des réserves de feuilles. Son compagnon, quant à lui, se met à arracher les arbres pour se frayer un passage. « Pourquoi fais-tu cela ? » demande le premier. « Un éléphant a besoin de place », répond le pachyderme, tout en poursuivant sa progression. Après avoir traversé les bois, ils se retrouvent dans un immense désert. L'éléphant ne tarde pas à souffrir de la faim et s'effondre. Le chameau, de son côté, continue de ruminer paisiblement. « À quoi te sert donc toute ta force si tu ne l'utilises que pour détruire ton environnement ? » dit-il. L'éléphant ne peut plus lui répondre. Il est mort.

— Alors, Choga Regina ? intervint ma mère. Qu'est-ce que cela t'inspire ?

N'étant pas sûre d'avoir saisi, je gardai le silence.

— En tout cas, je doute que Felix soit en mesure de comprendre, déclara maman Ada. C'est toujours comme ça : les éléphants anéantissent tout ; les chameaux, eux, sont prévoyants.

— Et nous, sommes-nous des chameaux, d'après toi ? demanda ma mère, amusée.

— Eh bien, pourquoi pas ? Ce sont d'excellentes bêtes de travail, répondit Ada en passant les bras sous sa robe pour se les croiser dans le dos, formant ainsi une sorte de bosse.

Se prenant au jeu, maman essaya de tendre les siens devant son visage pour imiter une trompe.

— Je n'y arrive pas, gémit-elle en riant. Au fait, saviez-vous que chez nous, on dit « se comporter comme un éléphant dans un magasin de porcelaine » ? Je vous laisse imaginer ce que cela veut dire...

— Il y a aussi des éléphants en Allemagne ? demanda Ada.

— Oui, mais seulement à deux pattes.

— Comme papa Felix ! renchéris-je.

Durant les semaines qui suivirent, ma mère ne modifia en rien ses habitudes. Chaque matin, elle partait en tracteur, accompagnée d'Ada et de Jo, pour ne revenir que tard le soir. Il faut dire que ce n'était pas le travail qui manquait. Quant à papa Felix, il jugeait indigne de lui de les accompagner. « Des corvées de bonnes femmes », ne cessait-il de répéter, bien que maman lui eût à plusieurs reprises conseillé de venir se rendre compte par lui-même du mode de fonctionnement du système d'irrigation. Mis en place à grands frais, celui-ci avait considérablement accru nos rendements et nous n'en étions pas peu fières. Mais le futur maître des lieux s'en désintéressait, tout comme l'indifféraient les diverses variétés de légumes que nous cultivions.

Pour ma part, si je continuais de nourrir nos chèvres et nos poules, j'avais en outre été investie d'une nouvelle mission qui profitait à tous sans trop me fatiguer. Avec les moyens du bord, ma mère avait fait construire une serre de belle taille pour y planter des tomates. Après m'avoir expliqué comment en prendre soin et souligné l'importance de l'arrosage, elle m'en avait confié la responsabilité.

Les épouses de papa Felix, de leur côté, passaient leurs journées à faire la cuisine en papotant à n'en plus finir. Ce faisant, elles puisaient dans nos réserves de nourriture qui s'amenuisaient de jour en jour. Dès le premier week-end suivant leur arrivée, nos successeurs avaient déjà décimé la moitié de notre poulailler et sacrifié une chèvre. D'après maman Ada, tout cela risquait de mal se terminer. « S'ils continuent ainsi, ils auront bientôt dévoré leur propre avenir », disait-elle dans le langage imagé qui était le sien. Mais notre temps était compté et nous ne pouvions rien y faire.

Papa Felix ayant décidé de revendre lui-même notre récolte au marché, il commença par engloutir l'essentiel des recettes dans le renouvellement de notre cheptel. Ses chèvres furent attachées à un piquet et gavées sans vergogne, ce qui nous choqua au plus haut point car nous n'avions jamais agi de la sorte, laissant nos bêtes se promener en liberté dans le domaine.

Pour Felix, les êtres vivants se divisaient en deux catégories : ceux qui étaient utiles et ceux qui ne l'étaient pas. Dans la seconde, il rangeait bien entendu Corn, arguant qu'il était sale et qu'il nous enlevait le pain de la bouche.

Dans l'intervalle, mon sauveur à trois pattes s'était habitué à la compagnie des hommes parmi lesquels il évoluait désormais en toute confiance. Un jour, alors qu'il reniflait les jambes de papa Felix, celui-ci, sans crier gare, lui asséna un violent coup de pied. À partir de ce moment, je fis tout pour éviter qu'il le croise à nouveau. Mais qu'allait-il devenir lorsque nous rentrerions au harem ? Les chiens y étant interdits, il allait devoir rester à Jeba…

Felix ne tarda pas à s'ennuyer à la ferme et se mit à sillonner la région à bord de sa rutilante voiture blanche. Dans ma grande naïveté, je crus tout d'abord qu'il voulait se présenter aux voisins, mais Jo m'éclaira sur ses réelles intentions.

— Il cherche des femmes, tout comme à Ibadan, me dit-il.

— Pour les épouser et les installer ici ? demandai-je.

— Bien sûr que non. Papa Felix ne se marie que lorsqu'il y est contraint, murmura mon frère sur un ton conspirateur.

Même si je ne compris pas bien ce qu'il insinuait par là, cela ne me semblait guère conforme à nos coutumes. En fait, comme je devais bientôt l'expérimenter sur ma propre personne, Felix n'en faisait qu'à sa tête.

J'avais pris l'habitude, dès que l'occasion se présentait, de me retirer près des buissons d'ignames pour y faire des câlins à Corn. Dieu seul savait ce que l'avenir lui réservait et je tenais à ce qu'il profite bien du temps qui lui restait à vivre. Un jour, papa Felix me surprit dans ma cachette. Il s'assit à mes côtés et se mit à me caresser les cheveux, tout en me félicitant pour mon ardeur au travail. Dans un premier temps, sa gentillesse me surprit, mais il se montra vite plus pressant et je finis par prendre peur et m'enfuis.

Lorsque je lui confiai l'épisode, ma mère parut stupéfaite. Je n'étais qu'une petite fille, me dit-elle, à peine plus âgée que celles de notre nouveau maître. Pour plus de sécurité, elle me recommanda toutefois, autant que possible, de ne pas m'éloigner des autres. Devant témoin, papa Felix n'oserait rien entreprendre. Ma déception fut grande car cette précaution me privait jusqu'à nouvel ordre de mon jardin secret.

Bien que maman me considérât encore comme une enfant, ce fut précisément dans la nuit suivante que débuta ma vie d'adulte. Deux mois après mon quatorzième anniversaire, j'eus mes premières règles. Mais je dois dire que les taches que je découvris sur mes draps m'effrayèrent moins que la perspective d'être devenue mûre pour le mariage. Terrorisée, je me précipitai auprès de ma mère pour lui faire part de ma « mésaventure ».

— Il ne faut surtout pas que Felix l'apprenne, déclara-t-elle aussitôt. Sinon, il va demander ta main à papa David. Mais peut-être n'a-t-il même pas l'intention d'attendre... Le problème, c'est qu'ici je ne peux pas te protéger, Choga Regina. À Lagos, au moins, tu seras à l'abri.

Sans perdre une seconde, elle m'accompagna jusqu'à mon lit et fit disparaître toutes les traces. Puis je me rendis auprès de la madone blanche pour la remercier de sa bienveillance. Malgré mon profond attachement à notre ferme, la sérénité que j'avais éprouvée à l'abri des murs du harem commençait à me manquer.

Comme Felix ne parvenait pas à imposer son autorité à maman et à ses amies, il pressa papa David d'accélérer notre départ. Ce dernier vint nous chercher en personne et nous ne dûmes pas, cette fois-ci, faire le voyage dans un véhicule de livraison. Voulant sans doute lui prouver qu'il avait su mettre à profit ces trois derniers mois pour reprendre les rênes, Felix organisa une grande fête en son honneur. Il y eut foule et les festivités se prolongèrent jusqu'au lendemain.

L'événement le plus notable de cette soirée fut l'attraction qu'exerça Corn sur les convives. Sa réputation de porte-bonheur était intacte et tout le monde se pressait pour le caresser. En observant papa Felix du coin de l'œil, je remarquai qu'il s'intéressait de près à ce petit manège. Soudain, il aperçut une jolie jeune femme qui n'osait pas s'avancer. Il se précipita, la prit par la taille tout en lui susurrant des mots rassurants à l'oreille, et la guida vers le chien. Ce même Felix qui, pas plus tard que la veille, l'avait frappé en le traitant de bon à rien !

J'étais hors de moi. Comment pouvait-il ainsi tirer profit de la crédulité des gens ?

Toutefois, ce fut sans doute à sa faculté d'attirer les femmes que Corn dut d'avoir la vie sauve. Grâce à lui, ce diable d'homme de Felix n'avait en effet plus qu'à attendre avant de fondre sur ses proies.

Mon retour au harem impliquait aussi la séparation d'avec mon frère bien-aimé.

— Qu'est-ce que Jo va devenir ? demandai-je à maman. Va-t-il être envoyé dans une autre famille ?

— Et lui, que souhaite-t-il ? En avez-vous déjà parlé ?

— Il m'a dit qu'il aimerait bien rester ici. Mais il y a Felix...

— D'un autre côté, comme il est exclu de renvoyer l'éléphant dans le désert, il faut bien qu'il y ait un chameau pour prendre soin de lui, répondit ma mère avec un sourire entendu.

— Mais si papa Felix n'est pas d'accord ?

— Certes, il n'apprécie pas beaucoup qu'on lui donne des conseils. Mais laisse-moi faire. Tu verras, demain, ce qui se passera.

Le matin de notre départ, alors que nous nous étions habillées pour prendre la route et avions déjà chargé nos bagages dans la voiture, nous vîmes soudain accourir l'une de nos aides.

— Maman Lisa ! lança-t-elle de loin. La pompe du bassin de retenue est cassée. L'eau menace d'inonder les champs. Viens vite !

— Papa Felix peut s'en charger, rétorqua ma mère en désignant sa robe immaculée d'un air d'impuissance. C'est lui le responsable, à présent.

Celui-ci, qui se tenait non loin de là, ne fit pas mine de bouger le petit doigt.

— Je ne suis pas mécanicien, se contenta-t-il de dire.

— Tu ne lui as pas montré comment les choses fonctionnent ? intervint mon père.

— Je lui ai expliqué tout ce qu'il souhaitait savoir.

— Et Jo, il n'est pas là ?

— Il est en train de faire ses valises pour rentrer à Ibadan, répondit ma mère. Conformément à tes désirs.

À présent, j'avais compris son stratagème. Quant à mon père, il ne lui en fallut pas plus pour évaluer la situation. D'un pas décidé, il se dirigea vers le bungalow, échangea quelques mots avec mon frère, puis fit signe à Felix de les rejoindre. Ce fut ainsi que Jo obtint l'autorisation de rester, papa David allant même jusqu'à lui conférer le titre de directeur technique de l'exploitation. Radieuse, ma mère prit son chapeau de paille, celui qu'elle avait toujours porté dans les champs, et le déposa cérémonieusement sur la tête de son protégé. Elle ne pouvait guère en faire plus pour tenter de sauver son domaine. Ce domaine qu'elle avait acheté avec son héritage et transformé à la force du poignet en une ferme prospère qui donnait du travail à tant de monde. Jamais elle-même n'aurait exprimé les choses en ces termes ; elle était bien trop modeste. Pourtant, c'était la réalité.

— Tu vas me manquer, me dit Jo au moment des adieux.

Nous échangeâmes une timide et formelle poignée de main. Trop émue pour articuler quoi que ce soit, je me contentai de hocher la tête. Puis mon regard se posa sur Corn, qui me fixait avec de grands yeux incrédules.

— Ne t'inquiète pas. Je veillerai sur lui, promit Jo. Jusqu'à ce que tu reviennes.

— Et si je ne reviens pas ?

— Je suis sûr que si. Tu es faite pour vivre ici.

— Les choses ne se passent pas toujours comme on le souhaiterait.

Mon frère ne répondit pas. Il prit Corn dans les bras et se détourna. C'était comme s'il tenait une partie de moi-même contre son cœur, afin que je ne disparaisse pas tout à fait. J'éclatai en sanglots.

— Calme-toi, ma chérie, les larmes ne servent à rien, murmura maman Ada, qui savait très bien de quoi elle parlait.

Anéantie par le chagrin, je montai dans la voiture et m'endormis aussitôt sur ses genoux, pour ne me réveiller que bien plus tard. Mon père et ma mère étaient en grande conversation.

— Tu as humilié Felix devant tout le monde, Lisa. Était-ce vraiment nécessaire ?

— Connais-tu la fable du chameau et de l'éléphant ?

— Figure-toi que j'ai une très haute opinion des éléphants, répondit mon père, sans parvenir à réprimer un petit rire. Ce ne sont pas les plus avisés, je te l'accorde, mais ils s'occupent très bien des leurs.

— Ils sont destructeurs, David. Les chameaux, en revanche, ont beau avoir mauvaise réputation, ils se suffisent à eux-mêmes.

— As-tu déjà rencontré un chameau, Lisa ?

— Non, avoua maman.

— Et un éléphant non plus, n'est-ce pas ? Felix en est un, tu as tout à fait raison. Mais n'oublie pas qu'il vaut mieux y réfléchir à deux fois avant de s'attaquer à un éléphant.

— Je n'avais pas le choix, David. Sinon, il n'aurait jamais reconnu qu'il était incapable de diriger l'exploitation. C'était dans notre intérêt à tous.

— Espérons que c'était aussi dans le tien.

Ma mère se tut.

En arrivant à Lagos, je réalisai soudain que j'avais oublié la boîte en fer qui contenait mon trésor caché. Désemparée, je décidai d'aller confier mon secret à maman Bisi.

— Voilà une bien bonne nouvelle ! se réjouit-elle. Cela veut dire que tu retourneras un jour à Jeba.

Cette pensée m'apporta un grand réconfort. Pourtant, si j'avais su dans quelles circonstances mon retour aurait lieu…

18
Le bouffon roi

Contre toute attente, notre retour au harem passa presque inaperçu. Les autres épouses de papa David étaient si centrées sur elles-mêmes et accaparées par leur petit train-train qu'elles remarquèrent à peine notre présence. Certes, il y en eut bien une ou deux pour poser quelques questions mais, d'une manière générale, les événements se déroulant hors des murs d'enceinte n'intéressaient personne. Pour ma part, j'étais partagée entre la joie de revoir maman Bisi et la crainte que l'on découvre que j'étais devenue femme. Ma mère ayant décidé de le cacher le plus longtemps possible, je m'installai de nouveau dans la maison des enfants.

Comme mon cycle n'était pas régulier, il arrivait toutefois que je salisse mes draps. Ces jours-là, la plus grande prudence était de rigueur afin que personne ne découvre la supercherie. Le plus souvent, je prétextais un mal de tête ou une nausée, jusqu'à ce que je puisse sortir de mon lit en catimini et faire place nette. Ce jeu de cache-cache renforça encore la réputation d'individualiste dont j'avais hérité lors de mon dernier séjour. Désormais, rares étaient mes sœurs qui acceptaient de jouer avec moi. Me sentant exclue, je sombrai peu à peu dans la déprime. Mais en réalité, ce sentiment était surtout dû au fait que

Jeba me manquait et que je me faisais beaucoup de souci pour Corn et Jo.

La plupart de mes amies d'enfance avaient quitté le harem, papa les ayant envoyées dans d'autres *familles* après les avoir mariées. Grâce à cette pratique, il ne cessait d'étendre son réseau d'influence dans le pays. À chaque noce célébrée dans le harem, il ne manquait pas de souligner la solidarité qui nous unissait et la nécessité de maintenir entre nous des liens forts. De mon côté, je profitais de ces fêtes pour observer nos visiteurs masculins. Mon futur époux se trouvait-il parmi eux ? Parfois, je me surprenais à les comparer avec Jo, qui avait fait preuve à mon égard de tant de respect et de sollicitude.

Quant à Jem, l'insoumise, elle avait quitté Lagos pour Warri, une ville du sud du Nigeria. Comme sa fuite avait été vaine ! L'homme, dont elle était devenue la troisième femme, n'était guère plus jeune que papa Sunday. De plus, il vivait dans une maison très fruste située au beau milieu d'une région industrielle. À n'en pas douter, papa David avait voulu ainsi la punir de sa conduite. À dix-neuf ans, elle était déjà mère.

Au gré d'une de mes promenades, je rencontrai Bisi dans le jardin. Elle était occupée à élaguer un jeune citronnier et, à ma grande surprise, s'acquittait de sa tâche en silence, sans lui parler ni lui fredonner une chanson.

— Ça ne va pas, maman Bisi ? Tu es malade ? l'abordai-je.

Pendant quelques instants, elle ne sembla pas se rendre compte de ma présence et continua comme si de rien n'était. Lorsqu'elle se retourna enfin, on aurait dit qu'elle me voyait pour la première fois.

— Tu es malheureuse, ma petite, je le sais bien, commença-t-elle, la voix brisée. Mais regarde cet arbre. Il est plein de vie et pourtant je dois lui couper les branches, sans qu'il sache que c'est pour la bonne cause. Comme il ne peut pas se défendre, il n'a d'autre choix que d'accepter son destin. En fait, nous ne sommes guère différents de lui. Sans cesse, on nous retire quelque chose. Ensuite, nos plaies se referment et nous prenons un nouvel élan. Mais il arrive aussi que la douleur ne s'éteigne jamais.

Ma maman préférée effleura l'écorce des doigts et entonna un air que j'avais souvent entendu pendant mon enfance : « Le roi avait un bouffon dont il était très fier. Lorsqu'il se mettait en colère, sa couronne il lui lançait. Au vol le bouffon l'attrapait et puis il s'écriait : "J'ai beau être un bouffon, j'ai quand même une couronne. C'est moi le bouffon roi." Jamais le roi ne comprenait… ». À l'époque, Bisi accompagnait cette chanson de petits déhanchements comiques. Mais cette fois-ci, je n'eus pas du tout envie de rire. Celle qui avait toujours été pour moi un exemple de sagesse et de raison avait les yeux embués de larmes.

— Que Dieu te protège, ajouta-t-elle d'un air grave en me serrant dans ses bras potelés. Ne désobéis jamais à ton père. Lui seul sait ce qui est bien pour toi. Promets-le-moi, je ne pourrais pas supporter de perdre encore un enfant.

C'est ainsi que j'appris la mort de Jem, survenue là-bas, dans sa contrée lointaine, sans que sa mère ait pu la revoir. Compte tenu de la chaleur et de l'humidité qui règnent au Nigeria, les enterrements sont toujours organisés dès le lendemain du décès et donnent lieu à de grandes cérémonies d'adieu. Jem, elle, n'y eut pas droit, papa David ne lui ayant pas pardonné sa désobéissance.

Bouleversée, je me remémorai ma demi-sœur, recroquevillée dans son puits, en plein désarroi. Si j'avais su qu'elle avait déjà un pied dans la tombe…

Située dans le delta du Niger, la région de Warri constitue une importante zone de transit pour le pétrole, lequel est ensuite acheminé par des tankers jusqu'aux raffineries offshore. Poussés par la misère, certains habitants tentent de percer les oléoducs pour détourner une partie de l'or noir. Ce faisant, ils n'observent pas toujours les règles de sécurité les plus élémentaires, et les accidents sont fréquents. Jem et son bébé avaient été victimes d'une de ces explosions. Tués sur le coup, parce qu'ils se trouvaient au mauvais endroit, au mauvais moment.

À partir de ce jour, je ne pris plus aucun plaisir à nos fêtes hebdomadaires. Pourtant, Dieu sait qu'elles avaient compté pour moi. N'ayant pu assister aux répétitions depuis une éternité, j'avais perdu ma place au sein de la chorale. Obnubilée par la précarité de l'existence en général, et de la mienne en particulier, j'étais devenue incapable de profiter de l'instant présent. De surcroît, chacun de nos hôtes me paraissait représenter une menace potentielle.

Peut-être ma mère avait-elle raison en prétendant que l'amour vient avec le temps. Mais ne serait-il pas tout de même préférable que deux êtres appelés à passer leur vie ensemble apprennent à se connaître avant de s'engager ? Pourquoi une jeune fille ne pouvait-elle exprimer son libre arbitre ? L'honneur d'un père justifiait-il des sanctions aussi lourdes ? À force de me tourmenter, j'en arrivais à me demander si mon père n'était pas un peu comme ce roi qui lançait sa couronne sur son bouffon.

Mais pour l'heure, je ne me sentais pas autorisée à exprimer ces interrogations à haute voix. Le simple fait d'oser me les poser dans mon for intérieur me faisait culpabiliser. Je devais être bien égoïste pour faire passer ainsi mon bonheur avant celui de ma famille.

Entre-temps, toutefois, j'ai compris qu'il n'est pas de collectivité harmonieuse sans que le bien-être de chacun soit assuré. Cette loi élémentaire échappe parfois aux dirigeants de la *Family of The Black Jesus*, ces hommes qui se considèrent comme des rois parmi leurs femmes. Ou devrais-je dire leurs bouffons ?

Un dimanche, en voyant papa David pénétrer dans la maison commune, je remarquai aussitôt que quelque chose n'allait pas. Son maintien était raide et la sueur perlait sur son visage. Perdant sans cesse le fil de son prêche, il dut le reprendre plusieurs fois depuis le début. Ma mère, qui était assise juste devant moi, échangea des regards inquiets avec maman Bisi. Tout à coup, je la vis se raidir et faire mine de se lever pour porter secours à mon père. Celui-ci se reprit, mais quelques instants plus tard, il s'interrompit de nouveau, cette fois-ci pour de bon. Il chercha appui sur son pupitre et s'écroula, emportant le tréteau dans sa chute.

L'espace de quelques secondes, ce fut la stupeur générale. Puis maman se précipita, suivie de près par Bisi et les autres. Elles l'aidèrent à se redresser. Jamais je n'oublierai ce spectacle : papa David, à bout de forces, soutenu par ses épouses. Cela me fit mal de le voir comme ça, lui qui, d'habitude, dégageait une telle force.

Les murmures des fidèles bruissaient dans la salle. Tout le monde commentait l'incident. Çà et là, des enfants criaient. Déboussolé, mon père glissa quelques mots à l'oreille de ma mère, qui se détacha du groupe. Elle écarta les mains et commença à réciter le Notre-Père d'une voix forte. Dès ses premières paroles, le calme revint et toute la communauté se joignit à sa prière, tandis que l'on conduisait papa David à l'extérieur. Parmi toutes ses épouses, c'était maman qu'il avait choisie pour achever l'office à sa place. Elle à qui, pourtant, il avait retiré la direction de l'exploitation de Jeba, parce qu'elle n'avait pas su faire entendre raison à Jem...

Pendant près d'un an, mon père demeura cloîtré dans ses appartements. Personne n'eut le droit de le voir, à l'exception de Patty, de Felicitas et de ma mère qui se relayaient jour et nuit à son chevet. Lorsque nous leur demandions des nouvelles, elles restaient très évasives, se contentant de nous assurer que tout rentrerait bientôt dans l'ordre. Très vite, l'état de santé de papa David devint notre unique sujet de conversation. Les conjectures allaient bon train et l'inquiétude était à son comble. Puis nous vîmes apparaître des étrangers, blancs pour la plupart, qui portaient de grosses mallettes. Les Occidentaux n'étant d'ordinaire pas admis dans le harem, il ne pouvait s'agir que de médecins. Une conclusion s'imposait : la situation était grave.

Depuis quelque temps, j'avais commencé à considérer mon père avec le regard critique d'une adolescente. Sa soudaine vulnérabilité suffit à dissiper les préventions que je m'étais mise à nourrir à son égard. À mes yeux, il était redevenu notre « roi » et ce n'était pas le moment de le contester.

19
Le poulailler

Par rapport à Jeba, je n'avais pas grand-chose à faire au harem. Mes activités se cantonnaient à aider en cuisine, donner un coup de balai par-ci par-là ou surveiller les petites et, de manière plus occasionnelle, participer à l'enseignement ou m'occuper de la maison commune. Le reste du temps, j'errais d'une cour à l'autre en songeant que, décidément, je n'étais plus à ma place à Lagos.

Un jour, je tombai sur une femme que je ne reconnus pas tout de suite mais dont le visage m'était familier. Pendant quelques instants, je me creusai la tête, puis cela me revint. C'était Idu, l'épouse que mon père avait chassée dix ans auparavant. Que faisait-elle donc ici ? Avait-il accepté de la reprendre ? Malgré ma curiosité, je n'osai pas l'aborder et poursuivis mon chemin. Peu après, je rencontrai maman Ada à qui je posai la question.

— Il y a beaucoup de place dans le cœur de papa David, me répondit ma marraine.

Cette réponse pour le moins sibylline ne m'avançait guère. Maman Bisi, quant à elle, fut plus loquace. Elle me raconta qu'Idu avait réapparu deux ans plus tôt pour implorer mon père de lui accorder sa pitié. Le triste sort de Jem et l'intransigeance de papa David à son égard m'ayant beaucoup choquée, cette marque de compassion m'étonna. Il faut dire que, malgré mon tout jeune âge, j'avais trouvé à l'époque cette histoire de téléviseur plutôt injuste. Le fait qu'il ait fini par accéder à la requête de son ex-femme démontrait que mon père savait reconnaître ses erreurs, ce que semblait confirmer l'expression de maman Ada.

Comme moi, Idu ne comptait guère d'amies dans le harem. Un jour, alors que j'étais en train de jouer toute seule dans mon coin, elle s'assit à mes côtés et entama la conversation.

— Tu es bien la fille de Lisa, celle qui vient d'Allemagne, n'est-ce pas ? Qu'êtes-vous donc devenues pendant toutes ces années ?

Je lui parlai de notre expérience à la ferme, tout en me gardant de lui avouer pourquoi un terme y avait été mis. En m'entendant évoquer mon frère et nos madones, maman Idu eut une idée :

— Pourquoi ne te remettrais-tu pas à la sculpture ?

Je lui répondis que, dans le harem, le bois était une denrée rare réservée aux feux de cheminée.

À ma grande surprise, elle revint me voir dès le lendemain, les bras chargés de morceaux tout à fait utilisables. Enfin j'avais de nouveau quelque chose à faire ! Je lui en fus très reconnaissante. Nous nous installâmes ensemble devant ses appartements et je me mis au travail, tout en écoutant ses confidences. Pendant son long purgatoire, Idu était passée d'une famille à l'autre. Mais partout, sa réputation de rebelle l'avait précédée et elle n'était jamais parvenue à trouver une situation stable.

— Malgré tout, je demeurais la femme de ton père et aucun homme n'osait poser le regard sur moi, m'expliqua-t-elle. À chaque fois, ma présence était à peine tolérée et je n'étais bonne que pour les corvées. Aussi, dès qu'un camion se présentait pour emporter des marchandises dans une autre famille, je saisissais l'occasion pour aller tenter ma chance ailleurs.

En Afrique, cette existence de nomade n'avait en soi rien d'inhabituel, sauf pour une femme de son âge, censée élever ses enfants. Idu savait rendre son récit très vivant et je lui prêtais une oreille attentive, comme je l'avais fait avec Jo, à son arrivée d'Ibadan.

— Tu connais papa Felix ? me demanda maman Idu qui, elle aussi, avait séjourné là-bas. Tu as dû le rencontrer à Jeba.

Maman Idu m'avait percée à jour : manifestement, elle savait depuis le début pourquoi nous avions dû quitter la ferme ! Comme je gardai le silence, elle reprit :

— Tu sais, papa Felix est un homme important. Si ton père ne guérit pas, c'est lui qui prendra sa place.

J'eus un coup au cœur. Cette perspective était terrible ! Comment cet individu incapable de s'occuper des siens pourrait-il diriger notre communauté tout entière ?

— Tu n'as pas l'air de beaucoup l'apprécier, poursuivit Idu avec un sourire qui paraissait indiquer qu'elle, pour sa part, le portait en haute estime.

— Pourquoi n'es-tu pas restée avec lui ? hasardai-je.

— Je suis toujours l'épouse de papa David. Jamais il n'aurait toléré que j'épouse quelqu'un d'autre.

Cette phrase me laissa perplexe. Devais-je comprendre que, si cela n'avait tenu qu'à elle, Idu se serait remariée avec Felix ? Malgré ma curiosité, je n'osai toutefois pas la sonder davantage.

Avec le temps, j'avais appris à dissimuler de mieux en mieux mes menstruations. Ma mère m'avait confectionné des serviettes en coton que je lui remettais pour qu'elle les lave. Mais depuis la maladie de mon père, elle était débordée. Aussi devais-je désormais m'en charger moi-même en cachette, dans sa maison.

Un jour, alors que j'étais allée puiser de l'eau, je croisai maman Idu.

— Où vas-tu avec ce seau ? me demanda-t-elle.

— J'ai du nettoyage à faire, répondis-je, mal à l'aise.

Elle me lança un regard intrigué. D'habitude, tout le monde faisait sa lessive dans un lieu prévu à cet effet, près des cuisines.

— J'ai renversé quelque chose, m'empressai-je d'ajouter avant de disparaître au plus vite.

L'après-midi même, maman Idu, qui était chargée de l'entretien de la maison des enfants, m'y convoqua. Sans un mot, elle désigna une auréole sur le dessus de mon lit. C'était du sang. Aucun doute possible. Mon cœur se mit à battre à tout rompre et, sans réfléchir, je vérifiai de la main que ma serviette était bien en place.

— Ton père est-il au courant ? s'enquit-elle d'un air entendu.

— Au courant de quoi ? bredouillai-je.

— Que tu es devenue une femme.

— Je t'en supplie, il ne faut pas qu'il l'apprenne. Surtout ne dis rien à personne.

— Je ne veux pas avoir d'ennuis avec maman Felicitas, rétorqua-t-elle froidement. Les filles qui ont leurs règles n'ont pas le droit de rester ici.

Effondrée, je tournai les talons et m'en fus. J'aurais pu me gifler pour cette imprudence. Une fois arrivée chez ma mère, je dépliai le drap incriminé et m'apprêtai à le plonger dans le lavabo. La tache était encore humide. Comment était-ce possible ? Cela faisait plus de trois heures que j'étais debout. De plus, la chemise de nuit et la culotte que j'avais portées pour dormir étaient propres. Il ne pouvait s'agir de mon sang ! Idu m'avait tendu un piège et j'étais tombée dedans à pieds joints... Si elle avait cherché à gagner ma confiance, ce n'était que pour mieux me trahir. Quel machiavélisme ! Désespérée, je voulus demander conseil à maman. Mais celle-ci, tout comme Patty et Felicitas, se trouvait de nouveau auprès de papa David. Je restai donc livrée à moi-même.

Contre toute attente, les jours passèrent sans que l'incident se traduise par les effets escomptés. Peu à peu, je recouvris une certaine sérénité, tout en prenant cependant soin d'éviter maman Idu.

Cela faisait six mois que mon père était malade. Malgré leurs efforts, les médecins semblaient impuissants. À intervalles réguliers, le bruit circulait qu'il était parti en cure à l'étranger et ne se trouvait même plus parmi nous. Entre les *queens*, la tension était devenue presque palpable. En ces lieux où avait jusqu'alors régné la plus parfaite harmonie, la désunion commençait à se faire jour et les disputes se multipliaient. Naguère, la seule présence de papa David suffisait à garantir l'entente et la discipline. Mais à présent, ses principaux relais – Patty, Felicitas et ma mère – ne disposaient pas, même ensemble, de l'autorité suffisante pour s'imposer. Sans parler du fait que le temps leur manquait, dans la mesure où les soins de mon père les sollicitaient beaucoup. Quant à moi, je dois dire que je comptais bien sur le désordre ambiant pour tirer mon épingle du jeu. Jusqu'au jour où je fus tirée sans ménagement de mon sommeil. Quelqu'un venait de retirer d'un coup le drap qui me recouvrait.

— Je vous l'avais dit ! Elle n'a plus rien à faire dans cette maison !

C'était maman Idu, accompagnée d'un groupe de femmes qui, toutes, m'observaient avec de grands yeux. Les plus jeunes se mirent à pouffer. La traîtresse ne s'y était pas trompée : le moment était de nouveau arrivé et mes précautions n'avaient pas suffi à garder mon lit propre. Aussitôt, je dus rassembler mes affaires et quitter le dortoir où j'avais grandi. Pour toujours. J'avais près de quinze ans, certes, mais si j'avais su que mes adieux à l'enfance s'accompagneraient d'un tel sentiment de honte...

On me conduisit dans un endroit portant le nom peu engageant de « poulailler ». Réservé aux jeunes filles nubiles, il était placé sous l'étroite surveillance des *queens*. Aucun homme n'avait le droit de s'en approcher. Comme j'aurais aimé que ma mère soit à mes côtés. Peut-être aurait-elle pu intercéder en ma faveur et éviter ainsi que le cauchemar de mes nuits – une union forcée et dépourvue de sentiments – ne devienne réalité. Au bout de plusieurs semaines, elle trouva enfin le temps de venir me voir. La situation ne paraissait pas l'inquiéter outre mesure.

— Jusqu'à nouvel ordre, ton père ne va pas organiser de mariage, m'annonça-t-elle. Son état ne le lui permet pas.

— Mais de quel mal est-il donc atteint ?

— Il a attrapé une grave pneumonie. Sans doute a-t-il pris froid en revenant de Jeba et estimé que ce n'était rien.

— Et lorsqu'il sera guéri, qui devrai-je épouser ? Je t'en prie, maman, dis-lui que je ne veux pas me marier avec quelqu'un que je connais pas.

— Ne t'en fais pas, ma chérie. Tout se passera très bien.

Nous étions quatre dans le poulailler, placées sous la responsabilité de maman Uloma, qui avait elle-même quatre filles beaucoup plus âgées. Dès mon arrivée, elle m'informa que, conformément à la tradition, je devais me confectionner une robe pour les noces. Si je m'y entendais en botanique et en sculpture, je ne m'étais en revanche jamais intéressée à la couture. Mes points n'étaient pas droits et je n'arrêtais pas de me piquer les doigts. De plus, ce travail ne me plaisait pas du tout. Néanmoins, je crus pouvoir me consoler en me disant que, si ma parure nuptiale se révélait trop laide, je parviendrais peut-être à échapper au mariage... Mais ma préceptrice ne tarda pas à me priver de cet espoir.

— Tout le monde va se moquer de toi si tu te présentes à l'église dans cette tenue, me dit-elle.

Je poussai un grand soupir et me remis à l'ouvrage. Mon sort était déjà bien assez triste pour que je ne m'expose pas à cette honte supplémentaire. Lorsque nous n'étions pas en train de coudre comme des forcenées, mes trois infortunées camarades et moi-même devions subir les cours très particuliers que nous dispensait maman Uloma. Avec le plus grand sérieux, elle nous expliquait comment nous comporter pour servir au mieux notre futur époux.

Règle numéro un : ne jamais le contredire. Règle numéro deux : se tenir à sa disposition les jours de fécondité. Règle numéro trois : être solidaire des autres épouses. Règle numéro quatre : apprendre à ses fils à respecter leur père et les élever de manière à ce qu'ils prennent soin de vous dans vos vieux jours. Règle numéro cinq : en cas de naissance d'une fille, la période d'abstinence est limitée à un an, et il convient de se préparer à la grossesse suivante. Etc.

Dans la logique du harem, ces préceptes n'étaient pas dénués de fondement. Le rôle de la femme consistant à avoir le plus d'enfants possible, il lui fallait se soumettre et renoncer à ses centres d'intérêt personnels, à moins qu'ils ne servent la collectivité. Mais pour ma part, j'avais eu la chance de connaître une autre vie. Non seulement j'avais vu ma mère diriger une exploitation agricole à elle toute seule, sans l'aide d'aucun homme, mais j'avais aussi tenu moi-même, très jeune, un stand sur un marché. A contrario, j'avais été témoin de l'incapacité de papa Felix à diriger sa famille et à assurer sa subsistance.

Petit à petit, je sentais monter en moi une envie de révolte contre cet avenir auquel on m'avait condamnée. Toutefois, je ne voyais vraiment pas par quels moyens m'y opposer. Aussi me contentais-je d'écouter en silence les conseils d'Uloma relatifs à l'entretien d'une maison et aux devoirs conjugaux d'une bonne épouse. Dans le même temps, je savais que la funeste échéance se rapprochait à grands pas et que, lorsqu'elle interviendrait, il me faudrait me comporter d'une façon qui me rebutait au plus profond de moi-même…

Mon corps finit par réagir comme il l'avait toujours fait et je tombai malade. Les symptômes étaient les mêmes que d'habitude : une forte fièvre accompagnée de maux de tête et de cauchemars. Ceux-ci ne cessant d'empirer malgré les soins que me prodiguait Uloma, la rumeur se répandit que j'avais contracté une méningite. Cette infection étant fort contagieuse, ma préceptrice m'enferma dans une chambre isolée et m'interdit toute visite. Enfin, j'avais la paix et je n'étais plus obligée de coudre ni de subir la bonne parole. Mais le revers de la médaille était que je m'ennuyais à mourir.

Lorsque ma mère me rendit visite, je fus surprise de constater qu'elle portait un masque. Apparemment, elle prenait le risque au sérieux. De mon côté, je n'avais qu'une envie : vider mon sac. Et je ne me privai pas de le faire. Une fois que j'en eus terminé, maman découvrit son visage et esquissa un sourire.

— Ma petite Choga… commença-t-elle en me caressant les cheveux.

Je me précipitai dans ses bras et éclatai en sanglots. Comme cela faisait du bien !

— Je suis sûre que tu n'es pas malade, reprit-elle. En tout cas, tu n'as pas de méningite.

— Quel est mon problème, alors ?

— Tu refuses de grandir, voilà tout. Pourtant, tu as presque seize ans. Dans ce pays, c'est l'âge où les jeunes filles se marient. Toi et moi ne pouvons continuer à nous voiler la face.

— Mais je ne veux pas, maman.

Elle parut soudain très triste, comme si elle venait seulement de prendre toute la mesure de la situation.

— Il faut que je réfléchisse, Choga Regina. Mais tant que je n'aurai pas trouvé de solution, promets-moi d'être courageuse. D'accord ?

Elle me déposa un baiser sur le front.

— Je ne t'ai pas souvent dit que je t'aimais, n'est-ce pas ? poursuivit-elle. Pourtant c'est le cas, crois-moi. Alors ne t'inquiète pas. Je reviendrai te voir bientôt.

Puis elle remit son masque et sortit. Je fermai les yeux et tentai de me figurer les collines qui entouraient notre ferme. Ah, si j'avais pu retourner là-bas !

Ayant bien compris que cela aurait été peine perdue, ma mère ne fit pas venir le médecin, mais m'envoya sa vieille amie Amara afin que celle-ci, par son diagnostic, rassure les habitantes du harem. C'était la seule façon de mettre un terme à mon isolement. La dernière fois que je l'avais vue, c'était pour mon problème à la jambe, alors que j'étais toute petite. Depuis cette époque, la guérisseuse avait encore pris du poids et lorsqu'elle entra, son corps parut emplir toute la pièce. Elle tira une chaise à côté de mon lit et se mit à m'observer en silence. Intimidée, je baissai les yeux et sentis son regard me parcourir de la tête aux pieds.

— Tu es une gentille fille, dit-elle enfin, en prenant ma main glacée dans la sienne. De quoi as-tu envie ?

— Je voudrais rentrer à la maison.

— Et où est-elle, ta maison ?

Papa Felix nous l'avait enlevée. Quant au harem, je m'y sentais étrangère. Aussi me contentai-je de hausser les épaules.

— Dieu est ta maison, mon enfant, reprit Amara. Tu habites en lui, et lui aussi est en toi. Il te protège et ne t'abandonnera jamais. S'il t'arrive d'en avoir l'impression, sache que c'est une épreuve que Dieu t'impose. Celle qui t'attend est difficile. Mais tu en sortiras grandie. Sache qu'il ne faut jamais se soustraire à une épreuve, sinon elle te poursuivra toute ta vie.

Elle m'adressa un sourire encourageant et sortit de sa besace en peau de bête un sachet qu'elle me tendit.

— Figure-toi que je ne suis pas seulement venue pour te faire la morale. Prends ces plantes et prépare-toi un thé tous les soirs avant de te coucher. D'ici quelques semaines, je reviendrai pour voir si cela va mieux.

Bien qu'il s'agît d'un curieux breuvage au goût plutôt amer, je suivis son conseil et me pliai à cette discipline quotidienne. Très vite, mon angoisse se calma et je pus retourner dans le poulailler. Désormais, j'avais compris qu'il était impossible de se dérober à son destin. La seule voie possible consistait à s'y préparer pour l'affronter dans les meilleures conditions. S'endurcir de jour en jour, jusqu'à ce que l'épreuve intervienne…

Pendant plus d'un an, je bus le thé d'Amara sans me demander ce qu'il contenait. Aux autres, je disais qu'il s'agissait d'un remède préventif pour éviter que ma méningite ne réapparaisse. Si la foi donne du courage, la potion, elle, m'aida à la conserver, même lorsque j'étais désespérée. Ma première conviction d'adulte était faite : dans un monde régi par les hommes, une femme ne peut se satisfaire de sa seule croyance en Dieu.

20
La vision d'Idu

Mon père n'avait jamais eu besoin de porter une couronne pour avoir fière allure. Il se dégageait de lui une impression de majesté et de sagesse qui faisait de lui un être presque inaccessible. Aussi, tout le monde le considérait avec déférence, rendant par là même hommage au protecteur bienveillant de notre vaste communauté.

La stupéfaction que nous ressentîmes en le revoyant en fut d'autant plus grande. Au départ, je faillis même ne pas le reconnaître. Contrairement à son habitude, il ne se tenait pas debout dans son ample tunique immaculée et brodée d'or au niveau de la poitrine, mais assis dans un fauteuil aux larges accoudoirs. Le plus choquant, toutefois, était son extrême maigreur que faisait encore ressortir sa tenue. Il avait le teint gris, le regard éteint, et son gros bracelet-montre semblait soudain trop lourd pour son frêle poignet. En dépit de cette vulnérabilité apparente, il paraissait néanmoins calme et serein.

Petit à petit, la maison commune se remplissait. Femmes, enfants et visiteurs prenaient place dans un recueillement total. Comme si le moindre bruit risquait de troubler la magie des retrouvailles. Immobile, papa David avait les yeux dans le vide, telle une grande statue de marbre.

Dès que chacun eut regagné sa place, il écarta les mains, paumes vers le haut. Puis, de la voix forte que nous lui connaissions, il commença à réciter le Notre-Père. Comme d'habitude, il le ponctua d'un alléluia sonore et maman Patty entonna aussitôt un chant que les quelque trois cents convives reprirent en chœur, au rythme des tambourins. Très vite, la solennité teintée de tristesse qui avait marqué le début de la cérémonie céda la place à la liesse.

Les questions se bousculaient dans mon esprit. Papa David parviendrait-il à se lever? Allait-il faire son sermon habituel et, à cette occasion, nous éclairer sur les raisons de sa longue absence? Mon premier espoir fut déçu : pendant toute la durée des événements, il demeura cramponné à son siège. Lorsqu'il prit enfin la parole, il se mit à trembler sous la force de ses propres mots. Dès le début de son allocution, il annonça la couleur : il serait question d'au-delà et de résurrection. Mais pas une seule fois il n'aborda directement sa maladie ni les dix mois qui venaient de s'écouler. Cependant, le parallèle entre les extraits de la Bible qu'il avait choisis et sa maladie était clair. À n'en pas douter, il avait le sentiment d'être passé tout près de la mort.

Son retour parmi nous fut célébré avec une ferveur sans précédent. Ne tenant plus en place, les fidèles ne tardèrent pas à se mettre à danser et à hurler leur joie.

Les rares fois où nos assemblées culminaient dans une telle euphorie, il arrivait que le Seigneur accorde à l'une des femmes la grâce d'une vision, ce qui signifiait qu'il prenait possession d'elle pour parler à travers sa bouche. Jusqu'à ce dimanche mémorable, je n'y avais assisté qu'à deux ou trois reprises. Ce genre d'épisode étant quelque chose d'exceptionnel, celle qui avait été ainsi élue conservait toute sa vie le droit de se parer la taille d'un ruban violet qui la distinguait d'entre toutes.

Ce jour-là toutefois, je ne compris pas tout de suite ce qui s'était passé. Préoccupée par l'état de mon père, qui, une fois n'est pas coutume, ne se joignit pas à la fête, je ne le quittai pas des yeux. Tout juste remarquai-je, à un moment, qu'un attroupement s'était formé au milieu de la salle, autour d'une femme qui proférait d'une voix étranglée de mystérieuses incantations. Je dus être l'une des seules à voir papa David tenter de se hisser hors de son fauteuil. Grimaçant sous l'effort, il croisa mon regard et je courus m'accroupir à ses côtés pour qu'il puisse prendre appui sur moi. À ma grande surprise, il ne refusa pas mon aide. Une fois debout, il attendit même que je me redresse à mon tour, posa la main sur mon épaule et me fit l'honneur de se laisser conduire par moi à travers la foule qui s'écarta sur notre passage.

Celle qui avait la vision n'était autre que maman Idu. Elle avait les yeux révulsés et le corps secoué de spasmes. Ses lèvres tremblaient et, comme elle s'exprimait dans son dialecte natal, rares étaient ceux qui la comprenaient. Mais nous étions tous convaincus qu'en cet instant Dieu avait envahi son corps et son esprit. Sans qu'on l'y eût incitée, une femme originaire de la même région qu'elle se mit à traduire ses propos en anglais : le Seigneur exigeait que mon père lui exprime sa reconnaissance pour l'avoir guéri. Il devait unir sa fille préférée, celle sur laquelle il étendait sa main protectrice, à l'homme dont il se sentait le plus proche, scellant ainsi à tout jamais son union avec lui.

Dès que ce message divin eut été formulé, Idu fut conduite à l'extérieur. La coutume exigeait en effet de ne pas interroger plus avant une femme qui avait connu les transes, mais de la ménager jusqu'à ce qu'elle recouvre ses esprits.

Pour être tout à fait sincère, cette vision me paraissait bien obscure. Je n'avais pas la moindre idée de la fille ni de l'homme dont il pouvait s'agir. Aussi ne me doutai-je pas une seule seconde que mon existence venait de prendre un tournant décisif. Deux jours plus tard, ma mère vint me chercher dans le poulailler. Sans un mot d'explication, elle me conduisit dans sa chambre et referma la porte derrière moi. Puis elle s'assit à mes côtés et prit ma main dans la sienne.

— J'ai quelque chose d'important à te dire, Choga Regina, commença-t-elle en me regardant droit dans les yeux. Tu sais que je t'aime et que je ferai pour toi tout ce qui est en mon pouvoir. Mais mon influence a des limites.

À cet instant, je compris que le moment tant redouté était venu.

— Ce sera qui ? demandai-je d'une voix blanche.

— Tu as entendu ce qu'a dit Idu avant-hier. Ton père est convaincu que sa vision concernait papa Felix et toi.

Je sentis mon corps se vider et je crus que j'allais perdre connaissance. Abasourdie, je baissai la tête en priant pour que ce ne soit qu'un cauchemar.

— Mais je ne suis pas la fille préférée de papa David, bredouillai-je en sentant poindre les larmes.

— Si, Choga, tu l'es, rétorqua ma mère. Oh que si ! D'ailleurs, chacun d'entre nous a pu le constater en te voyant à ses côtés l'autre jour. Même à moi, il est apparu clairement que c'était toi qu'Idu désignait en évoquant celle sur laquelle il étendait sa main protectrice. De plus, il est persuadé de te faire plaisir en te laissant retourner à Jeba.

— Mais Felix...

Étranglée par les sanglots, je ne pus continuer ma phrase. Même la perspective de retrouver ma ferme bien aimée ne pouvait occulter le fait que j'allais devoir épouser cet individu sans scrupules, cet homme qui ne trouvait grâce aux yeux d'aucun de ceux qui m'étaient les plus chers.

— Ton père le porte en haute estime. Il ne peut donc pas être si mauvais. Certes, il a ses défauts, mais nous en avons tous.

Ma mère se leva et se mit à faire les cent pas dans la pièce. Elle-même ne semblait pas convaincue par ce qu'elle disait.

— Et puis ce ne sera pas un saut dans l'inconnu, ajouta-t-elle. Tu as déjà vécu là-bas et tu sais avec qui tu partageras ton quotidien. La plupart des jeunes filles n'ont pas cette chance.

Je la sentais prise entre deux feux. D'un côté, il lui était impossible de s'opposer à la décision de mon père, mais de l'autre, elle voulait me protéger.

— Felix me fait peur, maman, avouai-je.

— Pour l'instant, tu as toujours vécu parmi les femmes. Il est tout à fait normal que tu te méfies des hommes et que tu redoutes la vie conjugale.

— Mais j'ai vu comment il courait après les filles !

— Bon, écoute : ton père m'a demandé de me rendre à Jeba pour tout régler avec papa Felix. Je pars dès demain matin. Je te promets de faire en sorte que tu n'aies rien à craindre.

J'aurais tant voulu qu'elle continue à me consoler, mais elle n'en avait pas le temps et dut m'abandonner à mon triste sort.

La nouvelle de mon mariage avait déjà fait le tour du harem. En fait, j'étais presque la dernière à en être informée. Tout le monde me félicita car c'était un grand honneur que d'épouser le bras droit de papa David. En outre, me disait-on, j'allais devenir la plus jeune femme de Felix, lequel me réserverait par conséquent tous ses égards. Atterrée, j'avais envie de partir en courant. Pour ne rien arranger, maman Uloma se mit à me donner des cours particuliers dont le contenu, s'il avait le mérite de la clarté, me glaça d'effroi. Au cours de ces dernières années, souligna-t-elle, mon futur mari n'avait eu que des filles. Il était grand temps que cela change...

Mon seul espoir était de pouvoir de nouveau me réfugier dans la maladie. Mais pour une fois, cette aubaine ne se présenta pas, ce qui, à n'en pas douter, devait être imputé au breuvage d'Amara. Celle-ci m'ayant recommandé de ne pas fuir les épreuves, je décidai de faire face. À ma grande surprise, je parvins à garder la tête froide. En revanche, je perdis totalement l'appétit.

Ma mère revint enfin de Jeba. J'avais passé la journée à la guetter et je reconnus tout de suite son pas lourd dans l'escalier qui menait à sa chambre. Après nous être embrassées, nous prîmes place sur son canapé défraîchi. J'avais l'impression d'être une chèvre qu'on mène à l'abattoir.

— Ça s'est bien passé avec papa Felix? hasardai-je, m'étant souvenue que notre départ de Jeba s'était accompagné d'une certaine tension entre ma mère et lui.

— Tout d'abord, je dois te saluer de la part de Jo. Sache qu'il se réjouit beaucoup de ta venue.

— Felix se comporte-t-il bien avec lui?

— Il le tolère. On ne peut guère lui en demander davantage.

Maman semblait fatiguée. Elle avait du mal à trouver ses mots. Quant à moi, j'étais suspendue à ses lèvres.

— Et sinon?

— Les épouses de Felix ont donné leur accord à votre mariage. Lui aussi, cela va de soi. Il m'a paru très fier que papa David lui confie une de ses filles. À mon avis, tu n'as aucun souci à te faire. Il te traitera bien.

— Mais... il va sûrement vouloir que nous ayons des enfants, bredouillai-je, gênée de devoir évoquer cette question épineuse.

Ma mère passa son bras autour de mes épaules.

— Écoute-moi bien, mon enfant. J'ai parlé avec Felix... je veux dire, de ça, entre autres. Mais ce que je vais te confier maintenant doit rester entre nous. C'est promis ? Alors voilà : il a conscience que tu es encore jeune et il s'est engagé à te laisser du temps.

— Il ne le fera jamais, maman ! Je le sais bien. Il a même déjà...

— Crois-moi, il ne te touchera pas, m'interrompit-elle.

Jamais je ne l'avais entendue employer un ton aussi résolu. J'en déduisis qu'elle avait passé avec Felix une sorte de marché, dont elle ne voulait cependant pas me dire les termes.

— Quand partons-nous ? demandai-je.

Dans mon esprit, il était évident que ma mère, qui était chez elle à Jeba, m'accompagnerait. Ces derniers temps, cette perspective m'avait d'ailleurs offert un certain réconfort et, au fond de moi, je caressais l'espoir que tout allait redevenir comme avant. Certes Felix serait là mais, d'une manière ou d'une autre, j'arriverais bien à le supporter. Du moins tant qu'il me laisserait tranquille.

— Vous partirez le lendemain de la noce, répondit ma mère.

— Comment ? Tu ne viens pas avec nous ? m'écriai-je en écarquillant les yeux.

— Tu vas devenir la femme de Felix. Et tu porteras son nom : Choga Regina Egbeme. Un mari n'a aucune envie de vivre sous le même toit que sa belle-mère. Sur ce point, je n'ai pas réussi à le convaincre. Et de toute façon, ça ne serait pas une bonne idée.

— Mais maman ! Je croyais que...

— Je t'assure qu'il tiendra sa promesse. Et puis, maman Idu viendra avec toi. C'est elle qui a eu la vision, papa David ne pouvait pas lui refuser cette faveur. Elle m'a juré de veiller sur toi. Elle m'a d'ailleurs raconté que vous aviez passé beaucoup de temps ensemble pendant que ton père était malade. Je suis très heureuse que vous soyez devenues amies.

Soudain, je me remémorai le drap taché de sang dont Idu s'était servie pour me piéger. Je me souvins aussi de tout ce qu'elle m'avait dit sur papa Felix, et qui m'apparaissait à présent trop bienveillant pour être dénué d'arrière-pensées.

— Ce n'est pas vrai que tu l'aimes bien ? s'enquit maman, qui avait dû remarquer ma consternation.

C'était l'occasion ou jamais de lui dire la vérité, de lui avouer que je n'avais pas la moindre confiance en Idu. Mais je ne le fis pas. Après tout, elle avait eu une vision et je n'avais aucun droit de me méfier d'elle. Dieu l'avait choisie pour en faire sa porte-parole. Dieu dont je respectais la volonté, tout comme celle de mon père.

— Vous aurez le téléphone, ajouta ma mère. Comme ça, si tu as des ennuis, tu pourras m'appeler.

— Merci, maman.

Si je m'étais écoutée, je me serais mise à hurler.

Le jour de mon mariage approchait. La fête organisée à cette occasion devait être la plus importante de l'année et toutes les énergies convergeaient vers cet objectif. Les *queens* apportèrent le plus grand soin à la décoration des cours intérieures et certaines maisons furent même repeintes de fond en comble. De mon côté, j'essayais tant bien que mal de me rendre utile. Il ne fallait surtout pas que je me mette à réfléchir ! Ma mère étant leur meilleure amie, maman Patty et maman Felicitas avaient convié leurs familles entières, qui vivaient dispersées sur le territoire. Parmi les convives, nombreuses seraient les femmes qui allaient passer la nuit dans nos chambres, leurs accompagnateurs étant logés dans la maison de mon père, qui devait donc être aménagée en conséquence. Quant aux autres invités, ils seraient hébergés dans les environs par des fidèles de notre communauté.

Une telle mobilisation était inhabituelle. Jusqu'à présent, mes sœurs qui avaient célébré leurs noces au harem s'étaient contentées d'une réception plus modeste. Au cours des préparatifs, maman Idu, qui s'était remise de ses émotions et avait désormais rang de visionnaire, avait déclaré que Felix était l'homme le plus important de notre famille après papa David. Depuis, cette phrase ne cessait de me trotter dans la tête.

Ainsi, songeai-je, telle était donc la vraie raison de tout ce cirque ! Il ne s'agissait de rien d'autre que de faire honneur à ce distingué représentant de mon père, avec lequel l'union devait être scellée. Une union dont je n'étais que l'instrument. D'ailleurs, c'était bien comme cela que je me sentais : comme une chose.

21
Mon mariage

Comme je n'avais cessé de maigrir, maman Uloma avait dû retoucher ma robe à plusieurs reprises. Elle m'avait en outre brodé une magnifique traîne blanche de plusieurs mètres de long. Et puis un jour, elle se présenta avec mes chaussures, des escarpins pointus dotés de très hauts talons. Étais-je vraiment censée porter ça ? Lorsque je les avais aux pieds, je ne parvenais même pas à faire trois pas sans trébucher. Constatant le problème, ma préceptrice les renvoya ; je ne les récupérai que la veille de la noce. L'une d'entre elles avait été surélevée de trois bons centimètres. On aurait dit une échasse.

Pour masquer le stratagème, Uloma décida de rallonger mon ourlet.

— Personne ne s'en rendra compte, m'assura-t-elle.

— Mais ça n'y changera rien : je suis incapable de marcher avec ça !

— Ne t'inquiète pas, mon enfant. Tu seras la plus belle mariée de tous les temps. Et votre couple est béni car il a été annoncé par une vision.

Puis elle me prit par les épaules et me conduisit devant un grand miroir en pied, avant de se mettre à rajuster ma mise par petites touches successives. N'importe qui aurait pu se dissimuler sous cette montagne de tissu ; on n'y aurait vu que du feu. Peut-être aurais-je d'ailleurs dû tenter ma chance en me faisant remplacer par quelqu'un d'autre...

Dans mon pays, si la pluie est un don du ciel, on ne sait en revanche jamais quand elle va survenir. À Jeba, toutes les dispositions avaient été prises pour la canaliser et tirer ainsi profit de la moindre goutte. Mais tel n'était pas le cas à Lagos. C'est sans doute pour cela que je me souviens si bien des trombes d'eau qui s'abattirent sur le harem le jour de mon mariage. Elles avaient démarré dans la nuit et, dès le matin, le *compound* n'était plus qu'un champ de boue. Bien que ce déluge marquât la fin d'une longue sécheresse, le moins qu'on puisse dire est qu'il tombait mal. L'inconfort de mes escarpins allié au poids de ma tenue entravait déjà mes mouvements. Il ne manquait plus que cette gadoue ! Le court trajet entre le poulailler et la maison commune suffirait à transformer ma précieuse robe en loque, et mes chaussures en patins à glace.

Je me faisais l'effet d'une poupée fardée et apprêtée à outrance. Pendant des heures, on m'avait enduit les cheveux d'huiles précieuses, avant de les coiffer, de les tresser et de les orner de petits nœuds blancs. Tout ça pour les dissimuler ensuite sous mon voile... Mais en y réfléchissant bien, la perspective de m'étaler de tout mon long dans la crasse me réjouissait plutôt : lorsque Felix – que je me refusais toujours à appeler « mon futur époux » – libérerait mon visage, il découvrirait celui d'une souillon.

Soudain, j'aperçus dans le miroir la silhouette de maman Idu. Elle se pencha vers moi et me susurra à l'oreille quelque compliment mielleux. À près de trente-cinq ans, elle n'était plus toute jeune. Au Nigeria, la plupart des femmes de cet âge ont en effet déjà des petits-enfants. Néanmoins, j'avais le sentiment de ne pas pouvoir rivaliser avec elle. Idu s'était préparée comme pour son propre mariage. Sa parure rose pâle, légère comme une plume, lui allait à ravir, tandis que le bandeau violet noué autour de ses hanches mettait en valeur la générosité de ses formes. Quant à son voile, elle l'avait ajusté de sorte qu'il fasse ressortir la gracilité de son cou. Malgré tout, je n'éprouvais pas la moindre jalousie.

— Tu es superbe, lui dis-je.

Maman Idu s'inspecta de la tête aux pieds. Les effluves de son parfum capiteux emplissaient toute la pièce et je ne pus m'empêcher de penser que la vie était mal faite : c'était elle qui aurait dû être à ma place. Et pourtant, elle se bornait à jouer le rôle de témoin.

Petit à petit, mes mamans préférées nous rejoignirent. Ada arriva la première.

— J'espère que Felix sait laquelle des deux il est censé épouser, lança-t-elle, après nous avoir dévisagées l'une et l'autre.

Idu la fusilla du regard. Loin de se démonter, Ada me posa la main sur l'épaule et cita la Bible :

— « Bienheureux les purs, le royaume des Cieux leur appartient. »

Puis ce fut au tour de ma mère de faire son apparition en compagnie de Bisi. Avec la perspicacité qui la caractérisait, celle-ci perçut aussitôt la tension qui régnait dans la pièce et s'employa à détendre l'atmosphère.

Au bout d'un moment, jugeant que j'étais fin prête, mes mamans se firent signe, m'agrippèrent par les bras et les jambes, avant de me porter jusqu'à la maison commune sous les acclamations des *queens* et de mes sœurs. J'étais stupéfaite : jamais je ne me serais attendue à cela.

La salle débordait de monde. Mon entrée déchaîna un tonnerre d'applaudissements. Ce fut un instant merveilleux, le plus beau de toute cette journée. Mais sans doute aussi le meilleur de mon mariage… Une vague de chaleur me submergea, m'inonda comme la pluie nos terres arides, et je me mis à pleurer. J'aurais voulu serrer ma mère, Ada et Bisi dans mes bras. Mon heure était arrivée : je m'apprêtais à devenir une *queen.*

Assis dans son fauteuil, au premier rang de l'assemblée, mon père m'attendait, papa Felix à sa droite. Tous deux portaient d'amples boubous qui leur descendaient jusqu'aux chevilles et de hauts bonnets dont la pointe retombait sur le côté. Ils avaient l'air de deux rois.

Papa David se leva et s'avança vers moi avec solennité. J'avais assisté à suffisamment de mariages pour savoir qu'il allait me prendre par le bras et me faire traverser la foule jusqu'à l'autel. Tout à coup, je sentis le contact de mes talons compensés et fus prise de panique. Qu'arriverait-il s'ils se dérobaient, si je perdais l'équilibre et tombais par terre en entraînant mon père dans ma chute ?

Ces quelques pas furent éprouvants. À ce jour, je ne sais pas comment je suis parvenue à mettre un pied devant l'autre. Quoi qu'il en soit, je finis par atteindre ma place et, après que j'eus murmuré le « amen » qui devait exprimer mon consentement, Felix me passa la bague au doigt. Les yeux brillants, maman Idu me donna l'accolade et prononça la prière de bénédiction. Puis elle énonça avec un sourire en coin la phrase qu'elle avait retenue pour constituer la devise de notre mariage : « Ceux qui souffrent trouveront le réconfort en Dieu »… Mon époux souleva mon voile et m'embrassa. « Alléluia ! » entonna la foule derrière moi.

Le comportement d'Idu à mon égard m'intriguait de plus en plus. Une véritable amie n'aurait-elle pas choisi quelque chose de plus gai pour m'accompagner dans ma vie conjugale ? N'était-ce pas en réalité l'inverse du bonheur qu'elle me prédisait de cette manière ?

À la fin de la cérémonie, je voulus reprendre ma place habituelle au milieu des autres filles, mais papa Felix m'entraîna auprès de ses femmes. Les deux plus âgées avaient fait le voyage d'Ibadan. Je connaissais déjà celles de la ferme. Quant à moi, j'étais devenue l'épouse numéro six. Mes nouvelles camarades, dont certaines avaient plus du double de mon âge, formaient un groupe plutôt joyeux. Étant toutes originaires du nord du pays, elles s'entretenaient le plus souvent dans leur dialecte natal et je compris que, si je ne voulais pas m'exposer à leurs sarcasmes, j'allais devoir l'apprendre au plus vite.

Pendant la fête, je n'eus guère affaire à papa Felix, ne l'apercevant que de temps à autre de loin. Au moins ma mère avait-elle réussi à m'épargner de devoir ouvrir le bal. C'est Idu, au demeurant excellente danseuse, qui s'en chargea avec un plaisir manifeste. Enfin, je pus me débarrasser de mes chaussures, soulever ma robe et me mêler aux nombreux convives. Ayant remarqué Efe à l'autre bout de la salle, j'allai la rejoindre. Elle était accompagnée de son adorable fils d'un an et demi.

— Alors, comment vas-tu ? lui demandai-je après l'avoir serrée dans mes bras pendant un long moment.

— Si tu savais comme j'ai bien fait de ne pas m'enfuir à l'époque, répondit-elle, radieuse. Papa Sunday me comble de bonheur. J'ai vraiment eu beaucoup de chance, tu sais. Décidément, il ne faut jamais se fier aux apparences. Et toi, *sister*, tu n'as pas l'air de déborder de joie, je me trompe ?

— On ne peut pas dire que papa Felix me fasse rêver, grommelai-je.

— Il faut vous laisser du temps, Choga. Et puis, la vie de femme mariée n'est pas dénuée d'avantages.

Elle ponctua sa phrase d'un clin d'œil complice, puis partit retrouver son époux.

— Viens me voir tout à l'heure dans la maison de ma mère, lança-t-elle. Nous bavarderons un peu.

Après avoir reçu les vœux de chacun, je pris congé et quittai les lieux. La pluie s'était arrêtée et je respirai à pleins poumons l'air purifié du *compound*. Les fenêtres de chez Bisi étaient ouvertes et je perçus sa voix depuis la cour. Voulant lui faire la surprise, je m'approchai sur la pointe des pieds et entendis soudain ma mère.

— ... sais bien que tu as raison. Mais je ne voyais pas d'autre solution.

— Tu n'as donc pas vu à quel point elle est malheureuse, Lisa ? Felix n'est pas quelqu'un de bien.

— Nombreux sont les chefs de famille qui le considèrent comme l'homme qui monte. Et David est trop affaibli. S'il n'avait pas tenu compte de la vision d'Idu, tout le monde aurait interprété cela comme une marque de défiance vis-à-vis de son représentant. L'affrontement aurait été inévitable. Tu sais, ma chère Bisi, j'ai fait le tour de la question avec David. C'était sans issue !

Bien que ma mère s'exprimât à voix basse, son émotion était perceptible.

— Choga n'a vraiment pas mérité d'être manipulée de la sorte.

— Sais-tu ce que Felix a déclaré à Jeba ? Si papa David avait contredit Idu, il l'aurait fait exclure de la famille pour avoir voulu s'opposer à la volonté de Dieu. Figure-toi qu'en secret il souhaitait même que cela se passe ainsi. Mais grâce au ciel, papa David a su deviner ses intentions. Le fait de lui donner Choga pour épouse renforce considérablement sa position au sein de la communauté. Dès lors, il ne s'attaquera plus à David.

— Certes, mais pour la petite, le prix à payer est trop élevé. C'est de sa vie qu'il est question.

— Cela fait bientôt dix-sept ans que je suis entrée au harem. Longtemps, j'ai eu du mal à me faire accepter et c'est d'ailleurs avant tout grâce à toi que j'y suis parvenue. Fallait-il que je renonce maintenant à tout ce pourquoi je me suis tant battue ? Que je coure le risque de voir notre si belle famille s'effondrer ? Crois-moi, j'ai pesé le pour et le contre : notre existence, à Choga et à moi, contre celle de tant d'autres. Il n'y avait pas de solution idéale ; j'ai fini par opter pour celle-ci.

— Je suis désolée, Lisa, ce qui s'est passé n'est pas bien. On n'a pas le droit de détourner la parole du Seigneur à des fins politiques.

— Tu pourrais même le formuler d'une manière plus brutale, dire que j'ai sacrifié ma fille ! Et sans doute le ferais-tu, si je n'étais pas ton amie...

— Mais non, enfin, cette idée ne m'a même pas traversé l'esprit.

— Pourtant, c'est la vérité. Un jour, Dieu me punira pour ma lâcheté.

Pétrifiée, je me tenais le dos collé au mur. Mon intuition ne m'avait pas trompée : ce mariage n'obéissait qu'à de vils calculs. Néanmoins, cette confirmation ne suscita en moi aucune révolte et je demeurai très calme. Soudain, des sanglots étouffés me parvinrent. Avec prudence, je me redressai pour jeter un coup d'œil. Agenouillée par terre, maman avait enfoui son visage dans les cuisses de Bisi. Celle-ci la caressait doucement. Une impression de tendresse infinie se dégageait de cette scène.

Sans réfléchir, je contournai la maison à pas feutrés, ouvris la porte et entrai. Ma marraine eut un sursaut, puis m'adressa un faible sourire. Trop absorbée par son chagrin, ma mère, de son côté, ne remarqua pas ma présence. Je m'accroupis à ses côtés et passai le bras autour de ses épaules. Une douce chaleur faite d'amour, de compréhension et de pardon avait envahi mon cœur. Surprise, maman tourna son visage trempé de larmes vers moi.

— Tu as tout entendu ?

— Dieu ne te punira pas. Je ferai comme tu l'as décidé.

— J'ai donné beaucoup d'argent à Felix pour qu'il respecte son engagement. Cela aussi, il faut que tu le saches. S'il a le malheur de te dire que je l'ai acheté, tu n'auras qu'à lui répondre qu'il n'est pas meilleur que moi. Nous avons tous deux enfreint les commandements.

En fin de compte, un problème tout à fait trivial me permit de ne pas devoir évoquer le sujet dès ce soir-là avec mon mari. Comme j'avais mes règles, une autre de ses épouses prit ma place dans son lit, tandis que je passais ma « nuit de noces » dans le poulailler à discuter avec les autres filles. Si aucune ne semblait envier mon sort, elles étaient néanmoins toutes d'avis que j'aurais pu tomber plus mal.

Le lendemain matin, nous partîmes pour Jeba. Les adieux furent déchirants. Désormais, il allait falloir que je me débrouille sans ma mère et mes mamans préférées, sans leurs précieux conseils et sans leur protection.

— Tu es bien plus forte que tu ne le penses, me glissa Bisi tout en m'étreignant. Aie confiance en toi, ma chérie, et Dieu t'aidera.

Après s'être engagée à me rendre visite très bientôt, ma mère tourna les talons et s'éloigna sans autres effusions. À n'en pas douter, elle tenait à ce que je conserve d'elle le souvenir d'une femme courageuse. Tandis que papa Felix avançait sa Mercedes qui regorgeait de cadeaux de mariage, je grimpai avec ses trois autres femmes à l'arrière du camion que conduisait son garde du corps, et où avaient été chargés mes quelques effets personnels. Dorénavant, ma place était parmi les *queens.* Maman Idu, pour sa part, prit place sur le siège passager. Bien qu'elle eût été touchée par la grâce, elle n'avait pas rang d'épouse légitime.

Nous nous mîmes en branle et je laissai dériver mes pensées, non sans avoir jeté un dernier regard aux murs du harem. Certes, je n'y avais plus d'avenir, mais qu'allait donc me réserver Jeba ? Au bout de quelques minutes, je fus tirée de ma rêverie par les rires des autres femmes. Trois paires d'yeux me fixaient et je me sentis soudain très seule. Puis, celle qui était assise à côté de moi me donna une petite tape sur le genou.

— Ne t'inquiète pas, me dit-elle. Idu saura t'apprendre à bien remplir ton devoir conjugal.

Cette phrase déclencha l'hilarité générale.

22
Un si bon mariage

La période des pluies est suivie de ma saison préférée, la plus belle de l'année, celle où la nature renaît de ses cendres. Sur la route, j'admirai les plantes bourgeonnantes, les couleurs chatoyantes que prenaient les champs, tous ces signes précurseurs des récoltes à venir. Malgré la beauté du spectacle, je ne pus cependant me défaire de la boule qui me nouait l'estomac. Pendant près de deux ans, je n'avais cessé de penser à Jeba, mais à présent, plus je m'en rapprochais, moins je me réjouissais d'y retourner. J'appréhendais tant de me retrouver livrée à cette famille inconnue dont le chef, mon propre époux, me répugnait. Avait-il l'intention de respecter l'accord que ma mère avait passé avec lui ? Tout compte fait, ma seule certitude était de retrouver Jo et Corn. Mais comment mon frère me traiterait-il maintenant que j'étais devenue l'épouse de Felix ?

Le camion s'engagea en cahotant sur le chemin détrempé qui menait à la ferme. Je soulevai la bâche et contemplai notre domaine. L'espace d'un instant, j'eus l'impression que rien n'avait changé. Mais dès que nous nous arrêtâmes, j'aperçus la voiture blanche du maître des lieux et mes illusions s'évanouirent. Surprise de ne pas voir Corn venir à ma rencontre, je décidai de m'enquérir de son sort à la première occasion.

Maman Idu prit aussitôt la direction des opérations, ce qui ne m'étonna guère, compte tenu du statut qui était désormais le sien. Comme les autres femmes, il ne me restait plus qu'à en prendre mon parti. Tandis que nous déchargions nos affaires, elle fit le tour du propriétaire pour choisir sa chambre, optant pour une pièce située au rez-de-chaussée, en face des appartements que ma mère et moi avions occupés à l'époque. Puis, comme si cela allait de soi, elle m'indiqua l'endroit où elle désirait que je m'installe, lequel n'était autre que mon ancienne chambre.

Felix, de son côté, avait bien entendu établi ses quartiers dans celle de maman, c'est-à-dire la bibliothèque. À mon grand soulagement, j'emménageai avec une certaine Rhoda, de vingt ans mon aînée. Non que celle-ci, qui rechigna d'ailleurs un peu à me faire de la place, me fût particulièrement sympathique, mais cela me rassurait de ne pas être seule. Au départ, nous eûmes quelque difficulté à communiquer car elle ne maîtrisait aucune des langues que je parlais. Mais elle se mit à m'apprendre la sienne et nos rapports s'améliorèrent peu à peu.

Après notre arrivée, Felix fit un bref discours au cours duquel il intronisa Idu en tant que maîtresse de maison. Afin de couper court à toute contestation, il nous annonça que ce serait elle qui, dorénavant, déciderait de la répartition des tâches et des tours de visite auprès de lui. Pour ma part, je me vis confier la mission d'assister maman Rhoda en cuisine.

À première vue, la vie à Jeba ne différait guère de celle que j'avais connue. Brûlant de voir ce qu'il était advenu de nos terres, j'entrepris d'en faire le tour. Les champs les plus proches étaient toujours exploités et l'on apercevait déjà les prémices des cultures de maïs et de pommes de terre. En revanche, on n'avait pas jugé bon de replanter les ignames, et les pauvres plantes, laissées à l'abandon, étaient mortes. Quant à la serre que nous avions inaugurée, non sans fierté, pour y cultiver des tomates, elle avait été dévastée par la tempête et les plantations, noyées sous le sable du désert.

Je n'arrivais pas à croire que l'héritage de ma mère ait été ainsi dilapidé, et je ne pus m'empêcher de repenser à la phrase de maman Ada selon laquelle Felix finirait par dévorer son propre avenir. Certes, les récoltes actuelles suffisaient encore à nourrir la famille et les pauvres des environs. Mais il n'était d'ores et déjà plus question d'en faire commerce et ce, alors même que l'exploitation avait été lancée à cette fin.

Après l'avoir longtemps cherché, je tombai sur Jo dans la vieille grange. Penché sur le moteur du tracteur, il me salua à peine et m'avoua, avec un embarras manifeste, que le coûteux engin importé d'Europe était déjà hors service depuis des semaines. La courroie de transmission avait rompu et les réparations de fortune se révélaient inopérantes. Naturellement, il n'y avait pas assez d'argent pour se procurer les pièces détachées.

— J'aurais tant aimé parvenir à le remettre en état avant ton retour, me confia-t-il avec une expression d'infinie déception. J'ai échoué. Mais ce n'est pas ma faute. Papa Felix a refusé toutes les solutions que je lui soumettais.

Mon frère avait changé. Et cela n'avait rien à voir avec le fait qu'il avait deux ans de plus. Nous commençâmes à évoquer la ferme, tout en évitant de nous appesantir sur nos vies respectives. Entre nous se dressait l'ombre de Felix.

— Je te trouve bizarre, hasardai-je au bout d'un moment. Pourtant, nous nous entendions si bien à l'époque !

— Je ne veux pas d'ennuis avec ton mari. Même si ma situation est loin d'être idéale, j'ai tout de même réussi à me faire plus ou moins accepter. D'ailleurs je n'en demande pas davantage. À part ça, tes noces étaient magnifiques, paraît-il ?

— Il a plu et j'étais terrorisée à l'idée de tomber dans la boue.

Jo hocha la tête d'un air compatissant.

— Mais dis-moi, où est Corn ?

— À l'intérieur.

Je fis mine de partir mais il me retint.

— Choga ?

— Oui ?

Il s'approcha de moi.

— Si Felix… enfin, s'il te traite mal… il faut que tu me le dises. Je t'en prie.

— Merci, répondis-je en lui tendant la main.

— Il ne te mérite pas, murmura-t-il d'une voix à peine audible avant de se remettre à l'ouvrage.

Surprise d'apprendre qu'il soit autorisé à vivre à l'intérieur, je retournai dans la maison et retrouvai enfin mon chien bien-aimé. En l'apercevant, j'eus un coup au cœur : il était devenu énorme, au point qu'il paraissait à peine capable de se mouvoir. Tout juste parvint-il à se lever pour me dire bonjour. Qu'avait-on fait de mon sauveur ? Il ressemblait à tout sauf à un porte-bonheur.

— Vous voulez le tuer ou quoi ? lançai-je aux autres femmes.

— Il est très vieux, ça n'a plus d'importance, me répondit-on.

Quelle indifférence ! Ces gens vivaient dans un véritable paradis et ils n'en prenaient aucun soin. C'était désespérant.

Les fonctions qu'Idu m'avait assignées m'ennuyèrent vite à mourir. En outre, mes compétences auraient été mieux exploitées ailleurs.

— Ne pourrais-tu pas me confier des travaux dans les champs ? demandai-je à notre maîtresse de maison.

— Si tu veux, mais c'était pour ton bien. Je voulais te ménager.

— Tout ce dont j'ai besoin, c'est de me rendre utile.

— D'accord. Alors, vas-y !

Ma nouvelle affectation me permit de me rapprocher de Jo. Sans perdre de temps, nous nous concertâmes sur la meilleure façon de relancer l'activité de la ferme, et dressâmes une liste des semences et engrais qui nous faisaient défaut. Mais papa Felix refusa de nous donner l'argent nécessaire. Mon frère n'ayant pas le droit de conduire sa Mercedes et n'osant pas s'aventurer au volant du camion, nous ne pouvions pas même tenter de nous débrouiller avec les moyens du bord. Aussi décidai-je d'appeler ma mère pour la tenir au courant de la situation. Ne trouvant pas le téléphone, je m'en ouvris timidement à papa Felix.

— Il est dans ma chambre, me répondit-il. D'ailleurs, il serait temps que tu viennes me rendre une petite visite. À moins que maman Uloma ne t'ait pas informée de tes devoirs vis-à-vis de moi...

Je sentis mon cœur s'emballer. Étranglée par la colère, je n'osai cependant rien dire, tournai les talons et m'en fus. En aucun cas je ne devais m'opposer à cet individu. Mais il fallait se rendre à l'évidence : sans l'aide de maman, qui se trouvait à plus de mille kilomètres de là, il serait bien difficile de lui faire respecter son engagement.

Pendant des jours, je me creusai la tête pour réussir à joindre le harem sans passer par l'antre de Felix. L'idée de mettre Rhoda au courant et de faire appel à son aide me traversa même l'esprit, mais je la chassai aussitôt. Cette maman avait beau être la seule avec qui j'entretenais un semblant de relation, je ne lui faisais pas vraiment confiance.

Hormis Jo, personne ne faisait grand-chose à Jeba. Et pourtant, le moins qu'on puisse dire, c'est qu'il y avait du pain sur la planche. N'étant pas parvenu à s'entendre avec le nouveau maître des lieux, Okereke, mon vieux professeur, avait quitté la ferme peu après notre départ. Désœuvrée, j'en étais donc réduite à arpenter nos terres du matin au soir, seule ou en compagnie de mon frère.

Ce qui me chagrinait le plus, c'était la serre. Rien qu'avec une nouvelle bâche nous aurions été de nouveau en mesure de commercialiser nos tomates. Une nuit, alors que tout le monde dormait, je me rendis dans ma cachette pour déterrer mes économies. Bien qu'ils eussent une drôle d'odeur, personne ne semblait avoir touché aux billets. Mais soudain, je me mis à douter : je ne pouvais pas dépenser cet argent maintenant. Après tout, j'avais promis à la madone blanche de le conserver pour mon futur enfant.

Il ne me restait plus qu'à aller lui demander conseil dans notre chapelle. Horrifiée, je constatai que même cet endroit, que papa David avait financé pour nous récompenser de nos efforts, se trouvait dans un état de délabrement avancé. Le plafond était percé et la pluie avait formé une grande flaque. Je m'agenouillai et me mis à prier. Mais ma supplique demeura sans réponse.

Que devais-je faire ? Courber l'échine et me plier à la volonté de papa Felix ? Me résigner à un « bon mariage » et lui donner des enfants ? Dans ce cas, ne serais-je pas tentée de me laisser vivre comme ses autres épouses, ne risquais-je pas de renoncer à tout ce qui, pour l'heure, comptait tant à mes yeux ? Ou bien devais-je me révolter, désobéir et ne me fier qu'à ma propre éthique ? Avec toutes les conséquences que cela pourrait avoir…

Dehors, il pleuvait de nouveau des cordes. En ressortant, j'aperçus une échelle, abandonnée au milieu des mauvaises herbes. Il suffisait que je la prenne et que je monte sur le toit pour le réparer, comme j'avais si souvent vu faire maman Ada. En théorie, c'était facile, je le savais bien. Il ne me fallait que quelques palmes et un peu d'écorce.

Dès le lendemain matin, je m'attelai à la tâche. À l'aide d'un grand couteau, je découpai un palmier, puis me mis à gravir l'échelle, pieds nus, les genoux tremblants. Trois heures plus tard, épuisée, je revins auprès de la Vierge. Elle était de nouveau au sec.

Désormais, ma conviction était faite. Si j'avais réussi dans cette entreprise, plus rien ne pourrait m'arrêter. Aussi décidai-je de me rendre en ville pour acheter tout ce dont nous avions besoin, y compris la pièce manquante du tracteur. Par la suite, il serait toujours temps de reconstituer mon épargne avec une partie de nos profits. Mais je me voyais mal effectuer seule cette expédition. Jo devait m'accompagner. Sans perdre une seconde, j'allai le trouver. Quoiqu'il fût pour lui hors de question de me laisser tomber, j'eus bien des difficultés à le convaincre, tant il redoutait papa Felix et ses colères légendaires.

Le lendemain, je me levai avant l'aube et m'habillai sans un bruit pour ne pas réveiller Rhoda. Sur la pointe des pieds, je sortis de ma chambre et enjambai Corn qui dormait devant celle de Felix. Soudain, la porte s'ouvrit et je vis dans la pénombre se dessiner la silhouette d'une grande femme mince enveloppée dans un drap. Terrifiée, je retins ma respiration. C'était maman Idu ; son parfum l'avait trahie. De son côté, elle ne tarda pas non plus à se rendre compte de ma présence.

— Qu'est-ce que tu fiches ici ? siffla-t-elle, avant de s'éloigner sans me laisser le temps d'inventer une excuse.

Encore sous le choc, je me dépêchai de quitter la maison. Mais petit à petit, ma peur céda la place à la perplexité, puis à un profond soulagement. Si mon propre témoin me déchargeait ainsi de la plus terrible conséquence de mon mariage, je ne pouvais que lui en être reconnaissante…

Jo m'attendait devant la grange. La chance n'était pas de la partie : il pleuvait toujours autant et nous allions devoir nous frayer un passage dans la boue. Mais en fin de compte, cela se révéla plutôt moins fatiguant que de marcher sous un soleil de plomb.

— Au fait, qu'est-il arrivé à papa David ? me demanda Jo au bout d'un moment. J'ai entendu dire qu'il était malade, mais personne ne paraît vouloir s'étendre sur le sujet.

— Cela a été long, en effet. Et il a perdu beaucoup de poids.

Moi non plus, je ne souhaitais pas en dire plus. À quoi bon inquiéter mon frère au sujet de quelque chose qui ne le concernait pas directement ? Et puis, il ne fallait à aucun prix qu'il ait vent de la rivalité qui était à l'origine de mon mariage. À l'époque, je pensais encore que tout cela allait se tasser. Les stratégies que fomentaient les hommes étaient si éloignées de mon univers…

Tout à coup, Jo s'immobilisa.

— Il faut que je te dise quelque chose, Choga, commença-t-il. Il y a quelques mois, j'ai reçu une lettre d'Ibadan. On y parle d'une mystérieuse maladie qui aurait déjà fait deux victimes là-bas.

— C'est la malaria ? Ou la tuberculose ?

— Tout ce que je sais, c'est que cela rend les gens très maigres. Une femme et un enfant sont morts, sans qu'on sache de quoi. À présent, tout le monde a peur. D'après ce que tu me dis, les symptômes sont les mêmes que pour papa David. Ce serait terrible si nous le perdions, tu ne trouves pas ?

— Oh, il va beaucoup mieux maintenant, répondis-je pour le rassurer.

À mon sens, notre famille étant fort étendue, il n'y avait pas lieu d'établir un rapport entre les problèmes de santé de papa David et ces deux décès.

Quelques heures après, nous arrivâmes enfin à Jeba où nous fîmes l'ensemble de nos achats. Je dus néanmoins me livrer à un âpre marchandage pour parvenir à tout financer avec mes économies, dont il ne me resta d'ailleurs pas un centime. La bâche et les pièces détachées étaient très encombrantes, et nous ne savions pas comment faire pour les transporter jusqu'à la ferme. Par chance, nous rencontrâmes un vieil homme qui, à l'époque, avait été un grand amateur des légumes de ma mère. Spontanément, il se proposa de nous reconduire.

Le lendemain, Jo et moi consacrâmes une bonne partie de la journée à remettre la serre en état sous le regard soupçonneux des épouses de Felix. Nous étions sur le point de terminer, lorsque celui-ci fit son apparition. À n'en pas douter, ses femmes étaient allées lui rendre compte de nos agissements.

— Comment as-tu fait pour acheter ça ? rugit mon époux.

— J'avais mis de l'argent de côté.

— Tu es tenue de le remettre à ton mari. Tu le sais bien, non ?

— Mais j'en avais besoin.

— C'est moi qui décide ici !

Ma patience avait des limites. Sans réfléchir aux conséquences, je vidai mon sac :

— La pluie a tout saccagé. Déjà qu'il ne restait pas beaucoup de plantes ! Je ne pouvais pas me croiser les bras en attendant que ça se passe ! Il fallait bien que quelqu'un fasse quelque chose !

— Je me doutais que tu allais me désobéir. Mais crois-moi, je saurai t'apprendre à respecter les règles du mariage.

— Dois-je donc suivre l'exemple de mon époux qui me trompe avec mon témoin ?

Je ne vis même pas la première gifle partir. Elle m'atteignit de plein fouet, aussitôt suivie d'une seconde, plus violente encore, qui me fit perdre l'équilibre. Je me retrouvai allongée au milieu du potager, le visage en feu. Jo se précipita à mon secours.

— Comment oses-tu frapper ma sœur ? hurla-t-il.

— Ça ne te regarde pas. C'est ma femme !

Ne sachant plus quoi dire, mon frère se campa devant Felix, qu'il dépassait d'une bonne tête, et serra les poings. Il fallait à tout prix éviter que la situation ne dégénère.

— Arrête, Jo ! m'écriai-je. Ça va aller. Je t'en prie, n'insiste pas.

Il baissa les yeux et les posa sur moi. Son regard était empreint d'un profond désarroi. Puis il m'aida à me relever.

— Merci, dis-je. Et maintenant, laisse-nous, s'il te plaît.

— Tu mens, de quel droit profères-tu ce genre d'insinuations ? me tança Felix dès que nous fûmes seuls.

— Alors cela signifie que vous êtes mari et femme. Pour ma part, je n'en ai rien à faire, mais je doute fort que papa David soit du même avis.

— Ton père ne te croira jamais, rétorqua-t-il d'une voix tremblante de colère. Après tout, je suis son représentant. Et toi, tu n'es qu'une pauvre fille qui s'imagine qu'elle peut refuser la vie conjugale.

Sans crier gare, Felix se mit à piétiner les tomates à peine naissantes. Il écumait de rage.

— Regarde-toi ! lui lançai-je. Tu détruis tout. Pourquoi me plierais-je à ta volonté ? Cette ferme est le cadet de tes soucis !

— Très bien, alors occupe-t'en toi-même. Mais je te préviens : dorénavant, tu as intérêt à me respecter.

Quelques secondes encore, son index menaçant resta pointé dans ma direction. Puis il s'en alla de son pas lourd.

À présent, tout était dit. Et c'est sur cette base que notre mariage se poursuivit deux années durant. Mon époux et moi nous évitions ; parfois, il nous arrivait même de ne pas nous voir pendant plusieurs jours. Cette situation se traduisit par un exercice de haute voltige diplomatique. Pour toutes les questions ayant trait à la gestion de l'exploitation, je me mettais en rapport avec Idu, qui transmettait mes requêtes à Felix. Ensuite, celui-ci me faisait connaître sa décision par la même voie. Ce mode de fonctionnement me convenait tout à fait. S'il m'interdisait d'accomplir de grandes choses, il m'assurait néanmoins un quotidien paisible. De plus, lorsque je n'obtenais pas satisfaction, je trouvais en général un moyen de m'en sortir par moi-même.

Felix et Idu déployaient des trésors d'ingéniosité pour cacher leur liaison aux autres femmes, lesquelles ne me semblaient pourtant guère se soucier des frasques de leur mari. Lorsque ce dernier n'était pas en train d'écumer la région à la recherche de nouvelles maîtresses, il profitait de son statut d'évangélisateur pour se livrer à des pratiques douteuses. À côté de la chapelle, il avait ainsi fait construire une petite cabane où il était censé dispenser des cours de catéchisme aux garçons et aux filles du voisinage. Bien que personne ne se fût jamais plaint de ses méthodes, j'eus souvent l'occasion de voir ses élèves quitter les lieux dans un état d'excitation pour le moins suspect.

De notre côté, Jo et moi travaillions d'arrache-pied, et nos efforts ne tardèrent pas à porter leurs fruits. Chaque semaine, nous chargions nos marchandises dans la brouette et les emportions sur le marché. La totalité de nos profits étaient réinvestis dans la rationalisation de nos procédés ou l'acquisition de nouveaux engrais.

Bien que profitant sans vergogne du produit de nos ventes, pas une seule fois les épouses de Felix ne firent mine de nous aider. Pire encore, lorsque mon frère et moi rentrions le soir, les mains couvertes d'ampoules et le dos meurtri, elles n'interrompaient pas même leurs papotages.

Un jour, alors qu'elles s'étaient une fois de plus jetées, sans un mot de remerciement, sur les provisions que nous avions ramenées de Jeba, Jo voulut les rappeler à l'ordre et je dus le retenir de s'emporter. Contrairement à lui, le fait d'entretenir leur oisiveté ne me dérangeait pas. Cela me permettait d'oublier mon mariage et, surtout, me donnait la satisfaction, si précieuse à mes yeux, d'être utile.

23
La menace

— Tu es au courant de ce qui se passe ? me demanda Jo un après-midi, alors que nous venions de nous lancer dans la récolte des ananas. À mon avis, ça risque de mal tourner.

Nous n'avions guère l'habitude de parler en travaillant. Il devait donc s'agir de quelque chose d'important.

— Maman Idu est enceinte, poursuivit mon frère. Allons, Choga, ne me dis pas que tu n'as rien remarqué !

Et pourtant, cela m'avait bel et bien échappé. Elle avait un peu grossi, il est vrai, mais je n'y avais pas prêté attention.

— Bah, elle n'est plus toute jeune, il était temps, fis-je après avoir réfléchi un instant à la nouvelle. Son fils a presque dix-huit ans, comme moi, et elle va sans doute bientôt devenir grand-mère.

— Mais c'est un enfant du péché ! s'écria Jo en brandissant son couteau d'un air indigné. Idu a brisé deux mariages. Le sien avec papa David, et le tien. Tu dois la condamner sans réserve, faute de quoi tu auras à ton tour enfreint les Commandements.

Je dois reconnaître que ma réflexion ne m'avait pas menée jusque-là. Mais je me voyais difficilement expliquer à mon frère que c'était mon mariage que la morale réprouvait. Bien qu'il fût mon meilleur ami, il y avait des choses qu'il était incapable de comprendre. Le fait que l'on puisse être contraint à certaines compromissions dépassait son entendement de chrétien. Certes, ce constat ne m'enchantait pas non plus mais, entre-temps, j'avais bien dû me faire une raison.

Je me remis à l'ouvrage en silence. De son côté, Jo ne décolérait pas, au point qu'il finit par menacer de prévenir lui-même papa David au cas où je ne m'en chargerais pas. Le sort qu'avait subi Jem m'avait permis de constater comment mon père réagissait dès que quiconque contestait son autorité. Si jamais Jo lui rapportait que son propre représentant avait fait un enfant à l'une de ses femmes... Il fallait donc à tout prix l'en dissuader. Mais de quelle manière ? Et dire que ma situation à Jeba commençait à me convenir... En outre, si la façon dont Idu avait en quelque sorte pris ma place auprès de Felix éclatait au grand jour, le stratagème de ma mère risquait d'être découvert. Et alors ce seraient toutes les parties prenantes qui tomberaient en disgrâce.

Tandis que je chargeais les fruits dans la brouette, je crus avoir une illumination : nous pourrions faire croire à papa David que le bébé d'Idu était le mien ! Quoique a priori saugrenue, cette idée devrait permettre, à condition que tout le monde joue le jeu, de sauver la situation. Dès que mon regard croisa de nouveau celui de Jo, qui continuait de fulminer dans son coin, je dus cependant me raviser. Jamais un homme honnête et droit comme lui n'accepterait de se prêter à pareille tromperie.

En fin de compte, mon frère avait raison : la seule solution était qu'Idu quitte la ferme et reprenne sa vie de nomade. Mais y parviendrait-elle avec un enfant et sans bénéficier du moindre soutien de nos *familles* ?

Cette fois-ci, aucune d'entre elles ne lui ouvrirait ses portes. Voilà qui n'était pas vraiment conforme au devoir de charité.

— Les règles sont faites pour être observées, rétorqua Jo lorsque je lui fis part de mon objection.

— Peut-être, mais pas au prix de la vie d'une femme et de son enfant. Et puis, ce serait injuste : Felix non plus n'a pas respecté le sacrement du mariage. Lui aussi devrait être chassé.

— Alors il emmènerait ses épouses. Et tu en fais partie.

— En d'autres termes, je suis prise au piège.

Avec application, Jo commença à ranger les ananas. Il semblait réfléchir et j'espérais qu'il réaliserait que son intransigeance risquait de me mettre en danger.

— Tu savais que Felix et Idu... lâcha-t-il soudain.

Il n'acheva pas sa phrase. Chez nous, le sexe est un sujet tabou, même entre frères et sœurs. D'ailleurs Jo ignorait que mon mariage n'avait pas été consommé.

— Tu connais papa Felix et ses penchants depuis fort longtemps, répondis-je. Pourtant tu n'as jamais rien dit. Qui sait combien d'enfants à lui se promènent dans la nature. Et tout d'un coup, tu voudrais réagir ? J'avoue que je ne te suis pas.

— Tu es ma sœur.

— Eh bien, ta sœur te demande de la protéger en gardant le silence. Crois-moi, c'est aussi dans ton intérêt.

Jo ne desserra plus les lèvres. Bien que l'ayant fait sans malveillance, je m'en voulais de l'avoir agressé de la sorte.

Le lendemain, nous nous levâmes à l'aube pour nous rendre au marché. Nous n'échangeâmes pas un mot de toute la journée. Pendant que je vendais nos fruits, mon frère resta assis à mes côtés, les yeux dans le vide. Son silence me pesait ; je craignais qu'il ne mette ses menaces à exécution en appelant papa David. Puis vint le moment du retour.

— Tu ne voulais pas téléphoner à Lagos ? lui demandai-je lorsque nous fûmes arrivés à hauteur du bureau de poste.

Nous parcourûmes encore une centaine de mètres et Jo s'immobilisa. L'espace d'un instant, je crus qu'il allait rebrousser chemin. Au lieu de cela, il me prit dans ses bras et me déposa avec délicatesse dans la brouette vide.

— Tu es une femme bien, Choga. Je suis fier de t'avoir pour sœur. Aussi vais-je te pousser jusqu'à la maison.

Il savait que je n'aimais pas beaucoup cela. Déjà, enfant, je refusais qu'il me traite comme une princesse. Pourtant, une fois n'est pas coutume, je décidai de ne pas protester. À présent, mon frère semblait d'excellente humeur ; il se mit même à chantonner.

— Si cela peut te nuire, je n'ai pas le droit d'intervenir, déclara-t-il après s'être arrêté pour faire une pause.

— Tu es un homme intelligent, grand frère, dis-je, soulagée.

— Non, ce n'est pas vrai. La personne intelligente ici, c'est toi. Je m'apprêtais à commettre une grave erreur.

La grossesse d'Idu la rendit irascible et elle commença à fourrer son nez partout en distribuant des ordres à tout le monde. Sans doute cherchait-elle ainsi à prendre les devants, à affirmer son autorité afin que personne n'ose lui reprocher que son enfant ait été conçu en dehors des liens du mariage. Dans le même temps, elle s'arrangeait pour semer la zizanie entre les femmes : sans cesse, des objets disparaissaient pour réapparaître dans la chambre de quelqu'un d'autre. Étant pour ma part trop occupée à l'extérieur, je n'eus vent de ses viles mesquineries que par ouï-dire. Jusqu'au jour où j'en devins à mon tour la victime. Bien entendu, il fut question d'argent. Ayant pris l'habitude de gérer moi-même mon budget, je remettais après chaque visite au marché une part substantielle de nos recettes à Idu, tout en conservant une maigre trésorerie pour nos frais.

Ce samedi-là, j'étais dans la serre en train d'admirer la belle couleur de mes tomates. Une fois de plus, je m'émerveillais comme une petite fille devant cette vitalité débordante de la nature, qui m'avait toujours permis de tenir bon, même dans les pires tourments. Soudain je vis surgir Felix qui, sans préambule, me somma de lui remettre le reste de l'argent récolté à Jeba. À l'évidence, Idu l'avait envoyé exprès pour envenimer les choses.

— Je te donne tout ce que je peux, tu le sais bien, rétorquai-je sur un ton calme. Tu n'as aucune raison de te plaindre.

— Je suis ton mari, Choga, et le chef de cette famille. Dorénavant, je ne tolérerai plus que tu n'en fasses qu'à ta tête.

— Pourtant c'est bien ce que tu fais, toi aussi. À la différence près que cela ne profite à personne.

Cela m'avait échappé. Mais il était trop tard. La seconde d'après, je me retrouvai à terre, sans savoir ce qui m'était arrivé. Ma tête bourdonnait. J'étais pétrifiée et ne parvenais plus à bouger. Soudain, je vis la colère de mon agresseur se muer en une expression bizarre. En baissant les yeux, je me rendis compte que, dans ma chute, ma robe s'était relevée. Felix avait le regard rivé sur mes jambes dénudées. Avec une extrême lenteur, il s'agenouilla entre mes cuisses.

— Le moment est venu, Choga, murmura-t-il. Il est temps que tu deviennes ma femme.

— Tu n'as pas le droit, gémis-je, tout en essayant de lui échapper. Tu as donné ta parole.

— Et toi, tu as juré devant Dieu et devant ton père. À ton avis, lequel de ces deux engagements pèse le plus lourd ?

Sans plus attendre, il souleva son boubou. Il ne portait pas de sous-vêtements. Son membre se dressait, menaçant, comme un glaive pointé dans ma direction. À présent, les sages conseils que m'avait prodigués maman Uloma dans le poulailler ne m'étaient plus d'aucune utilité. Cette excroissance répugnante traduisait une réalité bien plus crue.

Sans réfléchir, je lui assénai un grand coup de pied dans le bas-ventre, avant de me relever en un éclair et de partir en courant. Ce ne fut même pas intentionnel. Juste un réflexe de survie. Arrivée à la porte, je me retournai pour voir si Felix m'avait suivie. Mais il était resté cloué au sol et se tordait de douleur.

Ma première pensée alla à ma mère. Il fallait que je l'appelle tout de suite afin qu'elle vienne me délivrer de cet enfer. Aussitôt, je me ruai dans la chambre de mon époux et, à bout de souffle, composai le numéro du harem. En Afrique, téléphoner est une affaire fort aléatoire, qui dépend en grande partie du facteur chance. Notre ferme était reliée à la poste de Jeba. Probablement, quelqu'un, là-bas, était déjà en ligne. En tout état de cause, je ne parvins pas à obtenir la communication. Felix risquant de faire irruption dans la pièce à tout instant, il était hors de question que je m'attarde, d'autant que je ne pouvais guère compter sur l'aide des autres femmes. Elles n'avaient jamais fait preuve de la moindre bienveillance à mon égard et se seraient à coup sûr réjouies de mon malheur. Aussi décidai-je de sortir par la fenêtre et d'aller trouver refuge dans la chapelle. Là, je remerciai la Vierge de sa protection et l'implorai de m'aider à trouver une issue.

Papa Felix était mon mari et nous habitions sous le même toit. Cela lui donnait-il pour autant le droit de se comporter avec une telle brutalité ? Non content de mépriser mon travail, il gaspillait sans scrupules l'argent que je lui donnais. Au total, rien ne nous unissait, sauf cet accord qui lui commandait de me laisser tranquille. La madone étant restée muette, je m'agenouillai devant le Christ noir. Comme il avait l'air triste... Sur l'autel reposait la vieille bible que papa Felix utilisait pour nous lire les Évangiles. En l'ouvrant au hasard, je tombai sur certains passages qu'il avait marqués. Il n'y était question que de renoncement, d'abnégation et de soumission. Autant de principes que Felix et Idu n'observaient en rien.

Je refermai le livre et partis à la recherche de Jo, la seule personne auprès de qui je me sente en sécurité, sachant malheureusement que, compte tenu du caractère scabreux de ma mésaventure, je ne pourrais pas lui en faire part. Par bonheur, je parvins à passer la soirée sans retomber sur Felix : après l'incident de la serre, il avait sauté dans sa voiture et disparu. Quant aux autres femmes, elles ne semblaient pas être au courant, à l'exception toutefois d'Idu qui, tout au long du repas, ne cessa de me lancer des coups d'œil de travers.

Dans la semaine qui suivit, je me débrouillai pour que mon frère soit toujours présent lorsque je travaillais dans la serre. Le samedi d'après, je lui confiai notre stand au marché et fis la queue pendant des heures pour téléphoner à Lagos. Au moins la ligne fonctionnait-elle et, quand mon tour fut enfin venu, je ne tardai pas à entendre la voix de maman Ada.

— Papa David est au plus mal, m'annonça-t-elle, sans me laisser le temps de dire quoi que ce soit. Il faudrait l'hospitaliser de toute urgence, mais il refuse.

Elle me confia ensuite qu'il était à bout de forces, très amaigri, et que ses épouses se relayaient jour et nuit à son chevet. Pour ne rien arranger, aucun médecin n'était en mesure de formuler un diagnostic précis. Juste avant de raccrocher, Ada se contenta de me demander pour la forme comment j'allais et si j'avais bien eu les différents messages que ma mère avait laissés à Felix… Je rejoignis Jo dans un état d'abattement total. Pour ne pas le décourager lui aussi, je mentis en prétendant que la communication n'avait pas pu s'établir.

Désormais, il était clair à mes yeux que j'allais devoir résoudre mes problèmes seule. Tout appel au secours de ma part serait vain : ne pouvant plus s'appuyer sur l'autorité de papa David, trop affaibli, ma mère ne parviendrait jamais à faire entendre raison à Felix.

Grâce aux contacts qu'il entretenait avec le harem, celui-ci était sans nul doute au courant de l'état de santé de mon père. Aussi ne lui restait-il plus qu'à attendre. Si Dieu avait décidé de rappeler papa David à lui – ce qui paraissait plus que vraisemblable –, il serait bientôt le maître incontesté de toute notre famille, et il n'y aurait plus d'engagement qui tienne.

Or, avec la meilleure volonté du monde, je ne voyais pas comment je pouvais m'opposer à cette passation de pouvoir…

24
Une vie volée

Dès mon retour du marché, ce qui devait arriver arriva. Felix m'attendait. À peine eus-je franchi le seuil de la porte d'entrée qu'il se jeta sur moi, m'entraîna dans sa chambre, me déshabilla et me renversa sur sa couche sans dire un mot. Tout juste l'entendis-je émettre une série de grognements tandis que son sexe me déchirait le ventre. Une douleur insoutenable me transperça. J'aurais voulu être loin, très loin. Le visage rayonnant de la Vierge blanche m'apparut et je la suppliai de ne pas me laisser mourir. Pas maintenant. Pas ici, dans l'ancien lit de ma mère. J'aurais aimé pouvoir hurler. Crier à la face du monde que ce que me faisait subir cet homme n'était pas juste. Que sa violence était abjecte.

Au bout d'un moment, je réussis à échapper à son étreinte, nue et souillée, les jambes pleines de sang. Du sang qui, dans l'obscurité, ressemblait à de la boue. Alors je me mis à courir, éperdument, jusque dans les champs sur lesquels la lune projetait sa lueur blafarde. Arrivée à la citerne que Jo et moi avions installée pour donner à boire aux chèvres, je grimpai dedans et nettoyai tant bien que mal mon intimité dans l'eau croupie. Quelques heures plus tard – ou n'était-ce que quelques minutes ? – j'en ressortis à quatre pattes, meurtrie et parcourue de frissons. Les nuits peuvent être froides sur le plateau de Jeba. Je finis par rentrer, me faufilant dans la maison comme une voleuse pour aller me recroqueviller sous mes draps. Mais je ne parvins pas à trouver le sommeil. Les questions me taraudaient : combien de temps cette bête immonde allait-elle m'imposer cela ? Jusqu'à ce que je sois consentante ? Ou que je tombe enceinte ? Cette nuit-là, je pris une décision. Jamais je ne le laisserais remporter la bataille. Jamais il ne triompherait de moi.

Le lendemain, je me rendis en traînant les pieds à notre fête dominicale. Mais dans la chapelle, je laissai libre cours à ma fureur contenue, m'époumonant et dansant comme une possédée dans une tentative désespérée de m'évader de mon destin désormais scellé. L'opinion de l'assemblée m'indifférait, tout comme, a fortiori, celle de Felix. La seule chose qui comptât était mon désespoir. Soudain, ma tête se mit à tourner, mes jambes se dérobèrent et je perdis connaissance. Lorsque je revins à moi, j'aperçus le Jésus noir qui me fixait, le regard empreint d'une pitié incommensurable.

J'étais de nouveau tombée malade ; une fois de plus, mon corps se rebellait par la fièvre et les cauchemars. Le pire est que ce fut Idu, celle-là même qui portait la responsabilité de tous mes malheurs, qui se chargea de mes soins, les autres femmes veillant à garder leurs distances avec moi. Quant à Jo, la maison lui était interdite. Il me manquait terriblement. Rhoda, avec qui, d'ordinaire, je partageais ma chambre, avait été convoquée chez Felix. La nuit, je l'entendais pousser de petites plaintes aiguës et je ne pouvais que me réjouir de n'être pas la cible des ardeurs du maître des lieux.

Mais dès que je fus de nouveau sur pied, cela recommença. Je n'avais pas la force de me défendre, ce qui me permit au moins de ne pas subir trop de brutalités. Comme un automate, je me pliais aux désirs de mon époux et, peu à peu, la douleur physique s'estompa. Mais la souffrance morale n'en était que plus grande. De plus, Felix exigeait que je passe toute la nuit auprès de lui, si bien que je ne pouvais même pas me débarrasser des stigmates qu'il m'avait infligés. Allongée à ses côtés, en nage, je l'entendais respirer et devais supporter ses ronflements satisfaits. Aussi, bien que redoutant le réveil de cet homme à qui j'étais livrée corps et âme, j'attendais le matin avec impatience.

Pendant ces heures interminables, ponctuées par les hurlements des chiens qui me semblaient railler à la fois mon sort et cet orgueil qui m'avait laissé croire que je pourrais m'y dérober, je pensais souvent au suicide. Après tout, pourquoi aurais-je eu peur de l'enfer, compte tenu de ce que j'endurais sur cette terre ? Felix m'avait dépouillée de ma dignité, de ma personnalité, de mes valeurs. En voyant le ventre d'Idu gonfler de jour en jour, je savais que, bientôt, je serais dépossédée de ma vie tout entière. Car ces assauts que j'essuyais en permanence finiraient tôt ou tard par avoir des conséquences. Bien qu'une bonne chrétienne n'eût pas le droit de raisonner ainsi, cette perspective m'était insupportable.

Durant les semaines qui suivirent, je ne cessai de rechuter. Felix n'ayant pas manqué d'interpréter cela comme une volonté de ma part de fuir mes « devoirs conjugaux », il finit par ne plus tenir aucun compte de mon état. J'avais dû arrêter de travailler, ce qui ne tarda pas à se ressentir sur nos finances et me priva du réconfort que j'aurais pu trouver auprès de Jo. Mais à présent, tout m'était égal et, petit à petit, je me vis sombrer dans la même léthargie que les autres femmes. Et puis un jour, je n'eus pas mes règles.

Lorsque je lui confiai que j'attendais peut-être un enfant, Idu se déclara sceptique. Quelques jours plus tard, j'eus mes premières nausées.

Au harem, les épouses ne partageaient plus le lit de papa David dès que leur grossesse était avérée. Certes, là-bas, c'était la volonté de procréation qui régnait et non les sens, mais je pensais néanmoins que la même règle était observée à Jeba. Par malheur, il se trouva que nous étions toutes enceintes en même temps et, du coup, rien ne changea...

Mon abattement continuel ne m'autorisant toujours pas à reprendre le travail, j'errais à longueur de journée sur le domaine, telle une somnambule. Il m'arrivait également d'émerger de ma torpeur dans un lieu sans savoir comment j'y étais venue ni combien de temps j'y avais passé. Un matin, très tôt, je me mis ainsi à traire une chèvre que j'avais attachée à un piquet. Vers midi, le sceau était toujours vide, le pis de la bête tout sec, et je ne m'étais rendu compte de rien.

Ce fut lors d'un de ces moments de prostration que je revis mon frère pour la première fois.

— Qu'est-ce que cet homme a fait de toi ? s'indigna-t-il en me prenant par la main pour m'emmener à l'ombre.

— Je n'ai plus envie de vivre, murmurai-je en guise de réponse.

— Allons, tu n'as pas le droit de dire des choses pareilles. La vie est un don de Dieu.

— Ah oui ? Dois-je pour autant me laisser traiter comme un animal ?

— Felix et toi êtes unis par les liens sacrés du mariage ! s'écria Jo, à présent furieux. Tu n'as pas le droit de parler ainsi.

— Pas le droit par-ci, pas le droit par-là... Si je comprends bien, la seule chose que je puisse faire, c'est courber l'échine. Et puis regarde autour de toi : toutes les femmes ont été engrossées, plus personne ne travaille et Felix continue de forniquer dans tous les coins !

Pendant quelques instants, Jo garda le silence.

— D'accord, lâcha-t-il enfin. Je vais aller à la poste et appeler papa David.

Non sans hésitation, je choisis de garder le silence sur la maladie de mon père. Après tout, peut-être s'était-il rétabli. L'espoir était mince, mais il suffit à me redonner du courage.

Le lendemain matin, ce fut le branle-bas de combat. Toutes les femmes se pressaient au chevet d'Idu, ce dont je conclus qu'elle était sur le point d'accoucher. Mais tout à coup, des cris de douleur me parvinrent. Je vis Rhoda sortir de la chambre, un récipient recouvert d'un tissu dans les mains. La puanteur qui s'en échappait était insoutenable.

— C'est mieux comme ça, de toute façon, grommela-t-elle en le déposant dehors.

Ce commentaire me laissa perplexe.

— C'était un enfant du péché, ajouta-t-elle avec un sourire amer. Maintenant papa David n'a plus besoin de savoir. Tu garderas le silence, n'est-ce pas, Choga ?

Décontenancée, je hochai la tête. Puis je sortis sur le perron, me baissai et soulevai le linge.

— Laisse ça ! s'écria Rhoda, en me tirant par le bras.

Mais il était trop tard : je l'avais vu. Le bébé d'Idu ; ou plutôt ce qu'il en restait... Réprimant un haut-le-cœur, je partis en courant. Pendant des semaines, cette vision d'horreur ne me quitta pas.

Suite à cet épisode, Idu se retrouva abandonnée de tous. Les enfants mort-nés ne sont pas rares, personne n'y peut rien, mais elle, l'infidèle, avait continué de porter son fœtus longtemps après qu'il fut décédé. Plus que le signe du destin, les femmes y voyaient un châtiment de Dieu. À présent, elles attendaient de voir jusqu'où irait la punition divine, même si, dans leur for intérieur, elles avaient acquis la conviction que l'issue serait fatale.

Malgré l'intervention d'une guérisseuse de Jeba, appelée en renfort par Felix, les souffrances d'Idu ne cessèrent de s'amplifier. La nuit, ses hurlements résonnaient dans toute la maison. Ignorant à l'époque qu'une fausse couche pouvait entraîner une septicémie, je m'imaginais que la malheureuse pleurait la perte de son enfant. Et puis, une nuit, je fus réveillée en sursaut par la guérisseuse.

— Viens vite, me dit-elle. Idu veut te parler.

À moitié endormie, je titubai jusqu'à sa chambre à peine éclairée par deux bougies. Dès que je l'aperçus, je compris que son supplice n'avait rien à voir avec le chagrin. Le visage trempé de sueur, elle tendit la main vers moi et prononça quelques mots inintelligibles. Il régnait dans la pièce une odeur nauséabonde. Je dus me faire violence pour m'approcher afin de mieux entendre.

— J'ai péché, Choga, souffla Idu. Je voudrais obtenir ton pardon avant de mourir.

— Tu devrais plutôt t'adresser à papa David, répondis-je.

— Ce n'est pas vrai que j'ai eu une vision.

— Mais je ne comprends pas, bredouillai-je. Nous y avons tous assisté…

— Je t'en supplie, pardonne-moi. Sinon mon âme sera damnée à tout jamais.

Je commençai à réciter le Notre-Père. Juste avant que je parvienne au passage « comme nous pardonnons aussi à ceux qui nous ont offensés », Idu posa son index glacé sur ma bouche pour que je m'interrompe.

— Je voulais que tu épouses Felix afin de pouvoir vous accompagner à Jeba, dit-elle, la voix brisée. Le moyen le plus sûr était de faire semblant de...

À bout de forces, elle n'acheva pas sa phrase.

— Je me suis servie de Dieu pour vivre dans le péché avec Felix, reprit-elle. C'est très mal.

En proie à une violente quinte de toux, elle dut marquer une nouvelle pause.

— Grâce à toi, le Seigneur aura peut-être pitié de moi, poursuivit-elle. Je t'en prie.

Puis elle redressa la tête, me lança un regard implorant et ajouta :

— Jésus-Christ a dit : « Dieu est miséricorde. » Tu dois suivre son exemple, Choga.

— Je te pardonne, articulai-je du bout des lèvres.

Aussitôt, le corps d'Idu s'affaissa dans son lit. Elle était morte.

— Dieu ait son âme, dit la guérisseuse en lui fermant les yeux.

Bouleversée, je sortis dans la nuit froide et claire. Peu à peu, les pièces du puzzle s'assemblaient. Depuis le début, j'avais eu l'intuition que maman Idu m'avait piégée. Mais je n'étais pas allée au bout du raisonnement, persuadée que personne n'aurait l'audace de commettre un tel blasphème. Et pourtant, c'était bien ce qu'elle avait fait. Dès lors, seul Dieu pouvait lui accorder son absolution. D'ailleurs, les trois mots que j'avais prononcés ne m'étaient pas venus du cœur. Idu me les avait extorqués. Jusqu'à son dernier souffle, elle s'était comportée en manipulatrice.

Dorénavant, chaque seconde de ma grossesse me rappellerait qu'elle m'avait poussée dans les bras de cet homme pour satisfaire ses propres envies. Par pur égoïsme, sans le moindre scrupule, elle avait décidé de mon destin et m'avait regardée souffrir. Soudain, je fus envahie d'une telle bouffée de fureur que je me mis à hurler :

— Non ! Jamais je ne te pardonnerai ! Va au diable !

Au loin, un chien aboya, faisant écho à ma haine. Une fois calmée, je réalisai à ma grande honte que je venais de maudire une personne décédée. À bout de nerfs, je me recroquevillai au sol et laissai libre cours à mes larmes. Lorsque j'eus recouvré mes esprits, je me rendis compte que Corn, mon sauveur à trois pattes, était venu se blottir contre moi. Ignorant sa propre déchéance, il tentait une nouvelle fois de me porter secours.

Au bout d'un moment, je l'aidai à se relever et l'emmenai faire un tour dans la serre.

Jo n'ayant pas eu le temps de s'en occuper, mes tomates avaient fini par me ressembler : elles étaient toutes flétries, racornies. De rage, je les déterrai l'une après l'autre et les jetai par terre, transformant mon petit coin de paradis en un véritable champ de bataille. Voyant que Corn m'observait d'un air réprobateur, je lui criai dessus et voulus le chasser. Dépité, il se coucha sur le dos dans une posture de soumission et pleura. Le pauvre, il n'avait pas mérité cela ! Pour me racheter, je me penchai sur lui et le caressai, tout en lui prodiguant des paroles apaisantes. Insensible à l'odeur des tomates qu'il détestait pourtant, il se mit à me lécher les mains. Comme il était facile de s'entendre avec une bête ! Tellement plus qu'avec un être humain...

Idu fut enterrée dès le lendemain de son décès. N'ayant pas assisté à ses funérailles, je me fis conduire quelques jours plus tard sur sa tombe, qui n'était signalée que par un simple monticule de pierres. Elle n'était pas assez profonde, et les animaux avaient déjà tenté de s'attaquer à la dépouille. Dans ces conditions, Idu ne risquait guère de reposer en paix.

Durant la majeure partie de sa vie, elle avait été une nomade, sans cesse en quête d'un improbable bonheur. Pour se l'assurer, ne serait-ce qu'un temps, elle s'était révélée capable du pire. Malgré tout, ce que laissait présager le spectacle qui s'offrait à moi me paraissait être une sanction trop sévère.

Oubliant le vœu que j'avais formulé le soir de sa mort, j'allai chercher une pelle et une pioche, et entrepris de consolider sa tombe. L'effort me fut pénible, mais, plus il me pesait, plus j'avais le sentiment de me décharger de ma propre culpabilité. Qui étais-je en effet pour prétendre juger Idu ? À bout de forces, je me laissai choir dans le sable et attendis le lever du soleil.

25
Le triomphe du diable

Un jour où, comme chaque après-midi, aux heures les plus chaudes, je me reposais sur mon lit, l'une des femmes de la maison vint me trouver. Felix me demandait. Je me levai avec peine et me rendis dans sa chambre, la tête basse. J'avais l'impression d'être une chèvre que l'on mène à l'abattoir. Mon époux m'attendait à côté du téléphone, le combiné à la main.

— Ta mère veut te parler, m'annonça-t-il.

J'eus un coup au cœur et mes pensées se bousculèrent. Entre-temps, Jo avait dû appeler Lagos. Mais alors pourquoi Felix arborait-il une mine aussi satisfaite ? Maman ne lui avait-elle donc pas remonté les bretelles ?

— Allô ? dis-je, pleine d'impatience.

— Ton père est mort il y a deux heures, Choga Regina. Paix à son âme.

— Amen, bredouillai-je par réflexe.

— Sa volonté était que Felix lui succède en tant que chef suprême de notre famille. À partir de maintenant, c'est lui qui dirige le harem, ce qui signifie que vous devez rentrer aussitôt que possible.

J'aurais voulu lui dire tant de choses, lui poser tant de questions, mais mon mari n'était pas loin. La seule solution était de me mettre à parler allemand.

— Je suis enceinte, commençai-je dans cette langue. Il me viole à longueur de journée. Je n'en peux plus. Jo ne t'a donc pas… ?

Felix avait coupé la communication. L'instant d'après, il m'envoya un grand coup de poing et me força à m'allonger. Puis, tout en déversant sur moi une bordée d'injures, il m'arracha ma robe avant de m'administrer une nouvelle fois la preuve de sa domination. Cinq minutes plus tard, il me renvoya.

Un gros hématome s'était formé au-dessus de mon œil gauche et j'éprouvais une douleur lancinante à la tête. Un mélange de colère et d'impuissance me submergea. À quoi ressemblerait ma vie dans le harem ? Était-il possible que ce soit encore pire qu'ici ? À Lagos, je ne pourrais en effet même pas me consoler en admirant la nature. En outre, dès que mon enfant serait sevré, Felix recommencerait à abuser de moi. Et personne ne serait là pour l'en empêcher puisque, avec le décès de papa David, ma mère avait perdu son influence.

Certes, ma réaction était plutôt égoïste, mais, compte tenu de ce que je subissais, je me sentais en droit de raisonner ainsi. Ce d'autant plus que mon père n'était pas étranger à mon malheur. Dans sa logique, les enfants avaient une fonction bien définie : ils devaient contribuer à étendre son réseau et à consolider son pouvoir. En m'utilisant pour neutraliser Felix, il m'avait livrée à sa merci. C'était comme dans la fable du roi et du bouffon : au bout d'un moment, ce dernier a amassé toutes les couronnes que son maître a lancées sur lui et se retrouve en mesure de régner à son tour. En y réfléchissant, je me faisais l'effet d'une couronne bien dérisoire…

J'étais encore assise sous la véranda, en train de ruminer mes pensées, lorsque Jo fit son apparition. Il remarqua tout de suite ma blessure et me demanda ce qui s'était passé. Je lui racontai tout, sans omettre de mentionner le nouveau statut de Felix.

— Mais c'est affreux ! s'exclama mon frère en serrant les poings. Comment papa David a-t-il pu faire ça ? Cet individu ne mérite pas qu'on lui obéisse.

Aussi échauffés l'un que l'autre, nous n'avions pas vu Felix s'approcher.

— Telle est donc ton opinion sur moi, siffla-t-il avec cet air menaçant qui annonçait toujours un déferlement de colère.

— Papa David était un exemple pour nous, rétorqua Jo en se levant d'un coup. Quant à toi, tu ne respectes pas le sacrement du mariage et tu bats tes épouses. Tu es indigne de diriger notre famille !

— Tu passes trop de temps à traîner avec elle, rétorqua Felix en me désignant du doigt. Elle te raconte des mensonges et tu la crois.

Mon grand frère, d'ordinaire si calme et serein, perdit soudain son sang-froid et se rua sur Felix en l'empoignant par le col.

— Et son œil au beurre noir, c'est un mensonge, peut-être ?

— Ça ne te regarde pas ! cria Felix en le repoussant. C'est moi son mari, pas toi…

Puis il ajouta sur un ton apaisant :

— Écoute, Jo, l'heure n'est pas aux disputes. Nous devons préparer une grande fête pour papa David à Lagos. Je te propose que nous partions ensemble chasser. Ainsi, ton père pourra recevoir dignement ses derniers invités. Tu lui dois bien ça.

Jo sembla hésiter. Il était très rare que Felix aille à la chasse de sa propre initiative. D'habitude, il était sollicité par des hommes riches de la région qui le rémunéraient pour ses talents de tireur. Le fait que mon frère, qui n'était qu'un modeste travailleur, soit autorisé à l'accompagner constituait un honneur. Malgré leur différend, il lui était difficile de refuser.

Une heure plus tard, ils embarquèrent tous deux dans le camion. Assis à l'arrière avec son fusil, Jo me fit un petit signe de la main. Puis le véhicule se mit en branle à travers les hautes herbes. À la ferme régnait une grande effervescence. Conformément aux instructions, les femmes avaient commencé à préparer leurs bagages. Elles se réjouissaient de retourner en ville et étaient d'excellente humeur. Pour ma part, je ne pouvais pas en dire autant. Rongée par l'angoisse, je me rendis dans les champs avec mon fidèle Corn. Là, je pris congé de mes plantes préférées, non sans remplir quelques cageots de tomates et de haricots pour les emporter au harem. C'était ma façon à moi, assez naïve, je le concède, de garder un souvenir de mon paradis désormais perdu.

J'aurais bien entendu aimé rappeler ma mère afin de lui demander si elle avait parlé à Jo, et si celui-ci l'avait informée du chaos qui régnait à Jeba. Mais Felix avait fermé sa porte à clé et je n'avais aucun moyen d'accéder au téléphone. Pour la première fois, je songeai à profiter de son absence pour prendre la fuite. Mais j'étais enceinte et ma jambe ne me permettait pas d'effectuer de longs trajets à pied. De plus, je n'aurais pas su où aller et me serais donc retrouvée livrée à moi-même à la nuit tombée. Ces terres que j'aimais tant s'étendaient à perte de vue, mais ma liberté ne me servait à rien. Comme toujours, c'était mon handicap qui m'interdisait d'agir.

Arrivée à proximité de ma cachette, je décidai de déterrer ce qui restait de l'argent que j'avais épargné. Mais qu'allais-je en faire ? Je ne pouvais pas le dissimuler sur moi car Felix ne manquerait pas de le découvrir. Assise en tailleur au milieu des ignames, je me creusai la tête. Puis je me souvins des paroles de maman Bisi : tant que mon trésor demeurerait à Jeba, j'aurais l'espoir d'y retourner. Les événements lui ayant déjà donné raison par le passé, je me résolus à abandonner ma petite boîte. Peut-être reviendrai-je un jour vivre à la ferme pour de bon, avec ma mère et mon enfant, ce qui me permettrait de tenir la promesse que j'avais faite à la Vierge. En fin de compte, peu importait la façon dont ce bébé avait été conçu. C'était le mien. Et il n'était en rien responsable des péchés de son père.

Ce soir-là, je me couchai de très bonne heure, terrassée par une fatigue tant physique que nerveuse. Ma seule consolation était la perspective de revoir bientôt ma mère et mes mamans préférées. Quant à Felix et Jo, ils n'étaient toujours pas rentrés. Comme je plaignais mon pauvre frère, qui allait devoir rester seul à la ferme en attendant qu'une nouvelle communauté vienne s'y installer... À près de trente ans, il était depuis longtemps en âge d'avoir des enfants. Mais son existence actuelle n'était guère propice aux rencontres. À l'évidence, ce n'était pas une bonne chose pour lui de s'éterniser à Jeba, d'autant qu'il le faisait avant tout par respect envers ma mère et par amitié pour moi. Aussi décidai-je de lui conseiller de partir pour tenter enfin sa chance ailleurs.

Soudain, j'entendis le camion se garer devant la maison. Prenant mon courage à deux mains, je me relevai et partis à la rencontre de Jo.

— Aide-moi à décharger le gibier, lança Felix dès qu'il m'aperçut. Sinon les chiens vont tout dévorer.

— Où est Jo ? demandai-je.

— Allez, dépêche-toi, va chercher la brouette.

Bien que gagnée par la méfiance, je préférai m'exécuter. Mon frère n'avait pas pour habitude de se dérober à ses devoirs. Ayant accompagné Felix à la chasse, il n'aurait jamais tout laissé en plan à son retour. Aussi décidai-je de repartir à la charge :

— Il est déjà allé se coucher ?

— Non, il a eu un accident.

— Un accident ? Jo est à l'hôpital ?

— Ce n'était plus la peine.

— Qu'est-ce que cela signifie ?

— Qu'il est mort, rétorqua mon époux en empoignant à pleines mains la dépouille d'une bête.

— Comment ça, mort ? m'écriai-je. Mais c'est impossible !

— Je n'y suis pour rien. Il faisait trop sombre.

— Tu veux dire que tu lui as tiré dessus ?

Felix s'arrêta net. Du fait de l'obscurité, je ne distinguais que sa silhouette. Lentement, il se rapprocha de moi. Saisie de panique, j'eus un mouvement de recul.

— Écoute-moi bien, Choga. Jo et moi étions seuls. Si je dis que c'était un accident, c'est que c'en était un. Dieu est mon témoin. Lui seul. Ne t'avise pas d'insinuer autre chose...

Il mentait, cela ne faisait aucun doute. Mais j'étais trop faible pour lui tenir tête. Jo et lui s'étaient disputés avant de partir. Mon frère savait pour Idu et il était au courant de tout ce que Felix me faisait subir. À présent, il ne risquait plus de parler. Quant à moi, je ne représentais aucun danger pour cet être répugnant.

En passant en revue tous les crimes que le nouveau chef de la *Family of The Black Jesus* avait commis, je crus devenir folle. Au bord de la crise de nerfs, je retournai à l'intérieur. Incapable de me recoucher, je restai assise par terre près de la porte d'entrée, tremblant de la tête aux pieds. Si j'avais été un homme, je me serais armé d'un bâton ou d'un couteau, et j'aurais vengé mon frère sur-le-champ. De mes propres mains. Et jusqu'à aujourd'hui, pas un seul instant je n'ai regretté cette envie de meurtre. Mais au lieu de cela, la malheureuse femme enceinte que j'étais se retrouvait condamnée à porter le deuil en silence, sans cesser de subir les derniers outrages.

Constatant mon désespoir, Corn était venu se coucher à mes côtés. Si Felix voulait rentrer dans la maison, il devait passer devant nous. Et il ne tarda pas à venir.

— L'as-tu enterré, au moins? lui demandai-je, la voix étranglée par les sanglots.

— Comment aurais-je pu, dans le noir et sans outils?

— Quoi? Tu l'as laissé comme ça, livré aux chiens?

Incapable d'articuler un mot de plus, je me levai et lui barrai le passage.

— Jo était mon frère, mon meilleur ami, repris-je en hoquetant. Tu vas me conduire auprès de lui. Tout de suite.

— Bon, ça suffit maintenant. Fiche-moi la paix!

— Lâche! Assassin! hurlai-je à pleins poumons. Il en savait trop sur toi!

Voulant venir à ma rescousse, Corn se mit à grogner en montrant les dents. Quoiqu'il eût appris à craindre les coups du maître des lieux, il avait choisi son camp sans l'ombre d'une hésitation. Aussitôt, Felix s'empara de son fusil et le mit en joue.

— Non! m'écriai-je.

Si mon sauveur n'avait pas été vieux et diminué, peut-être aurait-il eu une chance d'échapper à la balle. Mais elle le toucha en pleine tête. Il émit une plainte très brève et suraiguë, eut encore un ou deux sursauts, et s'affaissa.

— Un mot de plus et c'est ton tour, dit Felix.

Puis il regagna sa chambre en claquant la porte derrière lui. Tout en caressant le pelage ensanglanté de Corn, je me mis à pleurer de plus belle, ivre de rage et d'impuissance devant la fin tragique de ces deux êtres qui m'étaient si chers. Au petit matin, munie d'une pelle et d'une pioche, j'allai creuser une tombe pour Corn, avant de me réfugier dans la chapelle où j'adjurai le Christ noir de me révéler le sens de tant d'injustice et de cruauté.

En vingt-quatre heures à peine, j'avais perdu mon père, mon frère et mon plus fidèle compagnon. Le triomphe du diable était total et son pouvoir désormais sans limite.

26
Mon évasion du harem

Après avoir roulé toute la journée, nous arrivâmes à Lagos au milieu de la nuit. Un meurtrier en compagnie de ses femmes enceintes... J'étais épuisée et j'avais à peine la force de marcher. Aussitôt, ma mère, Ada et Bisi me prirent à part et me conduisirent à travers le harem endormi jusqu'à leurs appartements. Là, une grande bassine remplie d'eau chaude et d'essences odorantes m'attendait. Comme cela faisait du bien de se sentir choyée ! Mon âme et mon corps meurtris en avaient tant besoin ! Puis mes mamans me couchèrent sur le lit de Bisi avant de me masser et de me dorloter pour m'aider à m'endormir.

Malgré leur sollicitude, mon sommeil fut très agité et émaillé des pires cauchemars. Je ne me réveillai que le lendemain soir et, l'esprit débordant de visions d'horreur, me mis à raconter l'enfer de Jeba. À chaque épisode de mon récit, le visage des trois femmes se rembrunissait davantage.

— Ce que Felix a fait avec Jo n'est rien d'autre qu'un meurtre prémédité de sang-froid, lança ma mère.

— Cet homme doit être traîné devant les tribunaux, renchérit Bisi.

— Mais c'est impossible, objecta Ada. Avez-vous pensé à ce qui arriverait alors à Choga ? Dans l'attente du procès, elle devrait continuer à vivre dans le *compound*, là où Felix seul fait désormais la loi.

— Tu as raison, confirma Bisi. Ce serait intenable. Et puis Dieu sait de quoi cet individu est capable.

— En plus, je ne suis même pas sûre que la police d'ici enquêterait. Jeba étant située dans une autre juridiction, la procédure risque de s'éterniser.

— Et pendant tout ce temps, Choga Regina vivrait dans la terreur, ajouta ma mère en secouant la tête. Non, il faut abandonner cette idée.

— Quoi qu'il en soit, il n'y a pas que la justice des hommes, murmura Ada sur un ton menaçant.

— Certes, soupira Bisi, mais nous ne pouvons tout de même pas rester les bras croisés sans rien faire.

Il y eut un silence prolongé. Mes mamans réfléchissaient. Au bout d'un moment, ma mère reprit la parole :

— En tout cas, il est hors de question que tu restes au harem. Je vais t'emmener loin d'ici, dès demain. Quelles qu'en soient les conséquences pour nous, il faut que tu partes.

Bisi acquiesça.

— Mais comment comptez-vous vous y prendre ? demanda Ada. Toutes les issues sont fermées à clé. Et les gardes ont pour instruction de surveiller les moindres allées et venues. En plus, Choga est trop faible.

Pourtant, songeai-je, elles avaient fort bien évalué la situation : si je restais, je serais condamnée à vivre dans la terreur. Jamais je ne pourrais supporter cela. D'un autre côté, où pourrais-je bien aller ? Osant enfin m'immiscer dans la conversation, je leur posai la question.

— Ce doit être un endroit inconnu de Felix, estima Ada. L'idéal serait un lieu qui ressemble à notre *compound*, un lieu où vivent de nombreuses femmes et où tu passerais inaperçue.

— Chez Amara, voilà la solution ! s'exclama ma mère. Je suis sûre qu'elle se fera une joie de t'accueillir. Je vais essayer de l'appeler tout de suite.

Ada et Bisi la regardèrent, interloquées. Contrairement à moi, elles n'avaient jamais rencontré la guérisseuse et connaissaient à peine son existence. Sans plus attendre, ma mère sortit et se dirigea à grands pas vers la maison de papa David. Le téléphone se trouvait dans la pièce climatisée où mon père avait été soigné et reposait à présent sur une sorte de catafalque. Felix ne devant y emménager qu'après l'enterrement, l'opération ne paraissait pas impossible. Restée seule avec mes deux mamans préférées, je les entendis échafauder des plans d'évasion, tout en s'employant à me remonter le moral.

— Tu sais, ma petite, la cérémonie funéraire va débuter d'ici quelques heures, commença Bisi. Felix ne saura plus où donner de la tête, et il n'aura guère le temps de se soucier de toi.

— La meilleure solution serait de passer par la porte d'entrée de chez ton père, dit Ada. Tu n'auras qu'à prétendre que tu veux lui faire tes adieux.

— De toute façon, c'était dans mes intentions, précisai-je.

Ada ayant de nouveau souligné que nous risquions de nous heurter aux sentinelles, Bisi suggéra de leur administrer un somnifère dilué dans une boisson quelconque. Toutefois, rien ne disait qu'ils auraient soif... Une demi-heure plus tard, ma mère reparut. Comme elle l'avait prévu, Amara était tout à fait disposée à nous aider. De plus, elle avait imaginé un stratagème permettant de tromper la vigilance des gardes : elle se présenterait chargée de cadeaux lourds et encombrants qu'elle leur demanderait de porter à l'intérieur.

Malgré mon état de fatigue, je ne parvins presque pas à fermer l'œil. J'étais rongée par l'anxiété et la perspective de devoir, le cas échéant, m'enfuir en courant m'effrayait. Sans parler du pire : que se passerait-il si jamais ma tentative était déjouée ? Serai-je alors condamnée à rester dans le harem jusqu'à la fin de mes jours ? À n'en pas douter, Felix prendrait des mesures drastiques...

Au petit matin, le *compound* regorgeait déjà de monde. Toutes les femmes étant voilées, ma mère, mes deux mamans préférées et moi étions persuadées de pouvoir passer inaperçues. Mis à part la robe du dimanche que je portais pour la circonstance, je ne devais rien emporter. Mais cela m'était égal. Tout ce que je voulais, c'était sauver ma peau et celle du petit être qui grandissait dans mon ventre.

À l'inverse de mes trois complices, qui arboraient le plus parfait détachement, j'étais paralysée par l'angoisse. Mes jambes flageolaient et je menaçais de trébucher à chaque instant. Ce fut ma démarche, reconnaissable entre toutes, qui faillit mettre un terme définitif à notre projet.

— Choga !

L'appel impérieux me fit sursauter. C'était la voix de mon mari. Tout d'abord, je voulus feindre de n'avoir rien entendu et poursuivre mon chemin. Mais mon corps ne m'obéissait plus.

— Où vas-tu, comme ça ? lança Felix qui se trouvait en compagnie de deux ou trois invités. Tu es au courant que la fête a lieu dans la maison commune ? Ce n'est pas la bonne direction, je te signale.

Le ton qu'il employait trahissait sa volonté de me provoquer.

— Elle veut aller voir son père une dernière fois, intervint ma mère avec fermeté.

— Il fallait y penser avant. Maintenant, je voudrais que Choga se joigne aux autres pour les préparatifs.

— Elle n'a pas pu y aller. Ma fille a dû se reposer toute la journée d'hier. Elle n'est pas très en forme, figure-toi.

Malgré son calme apparent, je sentis qu'elle avait du mal à se maîtriser.

— Elle n'est pas la seule à avoir souffert du voyage. Il est hors de question qu'elle ait droit à un traitement de faveur.

Maman Ada, qui était à peu près de la taille de Felix, s'interposa :

— Si je comprends bien, tes caprices ont plus de valeur que la douleur d'une fille pour son père disparu ?

Avec une moue de mépris, ma marraine toisa notre nouveau chef de la tête aux pieds.

— À ton avis, peut-on respecter quelqu'un qui fait si peu de cas de la mémoire d'un mort ? reprit-elle.

— Voilà des paroles bien dures, maman Ada. Mais nous aurons tout le loisir d'en reparler. Quand je pense que Lisa et toi n'êtes même plus des *queens*... Mes épouses, elles, au moins, savent se tenir. N'est-ce pas, Choga ?

Apeurée, je me réfugiai derrière Ada, les coups de ce sinistre personnage m'ayant déjà plusieurs fois atteinte par surprise.

— Tu as dix minutes ! rugit-il. Ensuite, j'exige que tu te joignes à la cérémonie.

Puis il passa le bras autour des épaules d'un de ses interlocuteurs et fendit la foule qui lui céda le passage avec révérence.

Tandis que nous nous dirigions vers les appartements de mon père, je sentis les autres épouses de Felix me fusiller du regard. Soudain, Rhoda s'approcha de moi et me tira doucement par la manche.

— Fais attention à toi, souffla-t-elle dans un dialecte qui m'était désormais familier. Notre mari est très énervé ces temps-ci. Il t'a cherchée partout hier. Mais ne t'inquiète pas pour tout à l'heure : je te réserve une place à côté de moi.

Bien que nous eussions si longtemps partagé la même chambre, c'était la première fois qu'elle se comportait de manière bienveillante à mon égard. Touchée, je la pris dans mes bras, lui souhaitant en secret bon courage pour la suite. Car cette ultime rencontre avec Felix avait achevé de dissiper mes doutes. Le simple fait de le voir me rendait malade ; mon seul salut était la fuite.

Il faisait très frais dans la pièce où reposait papa David. Seules maman Patty et maman Felicitas étaient présentes. Enfin si l'on peut dire, tant elles étaient absorbées par leur travail de deuil : depuis quarante-huit heures, la première battait un rythme monotone sur le tambour, accompagnant la seconde qui scandait sans interruption des refrains où il était question de résurrection et de vie éternelle. Dès que nous entrâmes, nous nous joignîmes à leurs prières. Quoique vêtu de son habit d'apparat, mon père était méconnaissable. La souffrance avait creusé de profonds sillons sur son visage de marbre et il ne ressemblait plus en rien à l'homme que nous avions connu et admiré. Aussitôt, la rancœur que j'en étais venue à nourrir à son endroit s'évanouit. Sa vie entière, papa David s'était consacré aux autres, déployant toute son énergie à leur apprendre l'estime de soi et à leur donner confiance en l'avenir. S'il avait su que son successeur saccagerait son œuvre en maltraitant ceux qui étaient placés sous son autorité… À cette pensée, je fus parcourue d'un frisson qui n'avait rien à voir avec la température ambiante.

Tout à coup, des éclats de voix me parvinrent de l'extérieur. Sur un ton qui ne souffrait pas la contradiction, une femme réclamait de l'aide. Ma mère me prit par le bras.

— Il est temps d'y aller, maintenant, chuchota-t-elle. C'est Amara, là, dehors.

Je me penchai sur mon père et déposai un baiser sur son front.

— Comme je regrette de ne pas avoir été là pour tes derniers instants, papa, murmurai-je, la gorge nouée par l'émotion.

— Dorénavant, il faudra que tu obéisses à Amara aussi bien qu'à moi-même, me recommanda ma mère en me conduisant vers la sortie.

Elle m'embrassa et ajouta :

— Que Dieu soit avec toi.

Dès que j'eus franchi la porte, je me retrouvai au milieu d'une cohue indescriptible.

— Vous voyez bien que je ne peux pas y arriver seule, espèces de barbares ! fulminait la guérisseuse en gesticulant.

— Mais nous devons surveiller l'entrée, madame.

— Ah ? Et vous autres, les femmes, vous ne pouvez pas me donner un coup de main, non ? Ma camionnette est pleine de cadeaux pour papa David. Nous avons fait beaucoup d'affaires ensemble, vous savez. C'était un homme remarquable.

L'esprit embrumé, j'avais perdu tout sens de l'orientation. Comme dans un rêve, je me laissai entraîner jusqu'au véhicule d'Amara et, mécaniquement, entrepris de décharger les caisses et autres cartons dont s'échappaient de délicieuses odeurs. Devant le regard intéressé des sentinelles, maman Ada leur proposa de goûter quelque confiserie. Leur attention s'étant relâchée, elle en profita pour me pousser dans l'habitacle.

— Couche-toi, m'ordonna-t-elle, tout en me recouvrant d'une couverture. Et surtout ne bouge pas.

Mon cœur battait à tout rompre et ma tête me paraissait sur le point d'exploser. Dans un grand fracas, le coffre se referma et, quelques instants plus tard, j'entendis le moteur démarrer. Puis la camionnette se mit à cahoter sur la route défoncée. N'ayant aucune prise pour me retenir, je roulai sur le côté et me cognai contre quelque chose de dur. Un objet lourd me tomba sur les jambes, suivi de plusieurs autres, plus petits, que je reconnus à l'odeur. C'étaient des tomates. Submergée par les souvenirs de la ferme, je laissai libre cours à mes larmes.

À présent, j'étais sauvée, certes, mais j'avais perdu tous les êtres qui m'étaient chers. Je me faisais l'effet d'un nouveau-né dont le cordon ombilical vient d'être coupé et qui se retrouve propulsé dans le monde. Ma mère, Bisi et Ada étaient restées au harem. Qu'allaient-elles devenir pendant que je prendrais mon nouveau départ dans la vie ? Une seule chose était sûre : dès que Felix apprendrait ma fuite, il leur demanderait des comptes.

27
Terreur nocturne

Devant chez Amara, une plaque professionnelle bariolée portait la mention prometteuse de « docteur – herboriste ». Selon ses propres termes, mon hôtesse était une guérisseuse opérant à l'aide de remèdes naturels fabriqués à partir d'herbes ou de plantes. Dans le même temps, elle continuait d'exercer l'activité qui avait permis à ma mère de la rencontrer et qui consistait à former du personnel de maison. Comme son embonpoint, sa garde-robe et ses bijoux clinquants en témoignaient, ses deux métiers lui assuraient un excellent train de vie.

Bien que je le visse avec un œil neuf, le *compound* ne me parut guère avoir changé depuis ma première visite. De dimension modeste, il regroupait trois maisons. Amara occupait la première, qui donnait sur la rue et dont les trois pièces lui servaient de salle d'attente, de cabinet de consultation et de chambre à coucher. De l'autre côté de la cour intérieure se trouvaient les quartiers de ses élèves ainsi que les cuisines, qui tenaient également lieu de laboratoire médical.

Dès mon arrivée, la guérisseuse me baptisa d'un nom d'emprunt afin de ne pas divulguer ma véritable identité aux huit jeunes filles qu'elle hébergeait. « Mary a connu une période difficile, leur expliqua-t-elle. Elle a été maltraitée par son époux. Alors, qui veut bien l'accueillir ? » Avec une belle unanimité, les apprenties levèrent toutes la main. Puis elles se pressèrent autour de moi pour me réconforter et palper le précieux tissu de mon vêtement. Encore sous le choc de mon évasion, je demeurai cependant insensible à leur sollicitude.

Après quelques conciliabules, il fut décidé que je partagerais la chambre d'une certaine Betty. Dieu merci, celle-ci était plutôt discrète et ne me posa pas trop de questions. De peur de me trahir et d'affronter le regard des autres, je passai les deux premiers jours au lit. En outre, l'idée que Felix ait envoyé ses sbires à ma recherche me taraudait, et je pressai Amara de faire construire un mur d'enceinte autour de sa propriété. Ce n'est que lorsqu'elle accéda à ma requête que je me sentis plus ou moins en sécurité.

Les premières contractions intervinrent dès le début du sixième mois. Craignant une fausse couche, mon hôtesse m'ordonna de me ménager jusqu'à la naissance. Bien qu'a priori chacune de ses pensionnaires eût une tâche bien définie, je devais désormais me considérer comme son invitée. Mais je ne me retrouvai pas pour autant livrée à moi-même. Malgré son emploi du temps chargé, Amara me consacrait de longues heures pour tenter d'apaiser cette sensation de solitude et de déracinement qui m'étreignait en permanence.

Tomber enceinte à la suite d'un viol – même s'il est intervenu avec l'alibi conjugal – provoque chez une femme un traumatisme profond. Sans parler du fait qu'il s'agit d'un péché, la procréation devant être le produit de l'amour et non l'expression du pouvoir d'un homme sur son épouse. Dans ces conditions, il est très difficile pour la victime de parvenir à développer un sentiment maternel. Grâce à Amara, j'appris néanmoins à comprendre que l'enfant que je m'apprêtais à mettre au monde n'était pour rien dans les circonstances qui avaient entouré sa conception.

Un beau jour, la guérisseuse vint me trouver avec du papier et un stylo. « Si tu essayais de formuler tes angoisses par écrit ? me suggéra-t-elle. C'est le meilleur médicament qui soit. Établis donc la liste de tout ce qui t'oppresse ou, au contraire, te donne de l'espoir. » Au départ, cette idée m'apparut absurde, mais, plus j'y pensais, plus elle me séduisait. Pour que personne ne puisse lire mes notes, je les rédigeai en allemand, ma langue maternelle que j'avais si longtemps négligée.

L'écriture donna un sens nouveau à mon existence, me permettant de revivre les étapes marquantes de mon passé, de goûter à nouveau toutes les belles choses que j'avais connues, tout l'amour que mes mamans m'avaient donné et que je serai bientôt en mesure de transmettre à mon tour. Avec le temps, je devins moins indifférente à cet être en gestation que je sentais bouger dans mon ventre. Il était une partie de moi-même et, petit à petit, je commençai à accepter le fait qu'il soit aussi une partie de son père. Peut-être hériterait-il de ses meilleurs côtés et non des plus mauvais…

Les premiers signes avant-coureurs de la naissance mirent un terme définitif à l'état d'abattement dans lequel je m'étais murée pendant des mois. La haine que j'éprouvais vis-à-vis de Felix s'estompa et son spectre finit par disparaître tout à fait de mes pensées. Alors que je m'étais lancée dans cette occupation sans grand enthousiasme, je consacrais désormais toute mon énergie à tricoter des vêtements pour enfant.

Habituée à vivre sans tenir compte du calendrier, j'ignorais cependant quand serait le terme de ma grossesse. Mais avec une femme telle qu'Amara, ce genre de contingences n'avait aucune importance ! Mon hôtesse semblait en effet savoir mieux que moi ce qui se passait dans mon propre corps...

Un matin, tandis que j'étais une nouvelle fois penchée sur ma feuille blanche, on frappa à la porte.

— C'est ouvert, lançai-je sans relever la tête.

C'était ma mère ! De joie, je me précipitai dans ses bras.

— Comment as-tu fait pour venir jusqu'ici ? m'écriai-je.

— De la même manière que toi. Et je ferai pareil pour rentrer.

L'espace d'un instant, je songeai que Felix pouvait l'avoir suivie jusqu'à ma cachette. Mais très vite, le plaisir de ces retrouvailles inattendues l'emporta. Sans me laisser le temps de formuler les questions qui se bousculaient dans mon esprit, elle reprit :

— Ne t'en fais pas, ma chérie, tout va bien de notre côté. D'ailleurs, Bisi et Ada t'embrassent. Nous avons juste dû nous serrer un peu car Patty, Felicitas et quelques autres ont emménagé avec nous. Mais dis-moi plutôt comment tu te portes, toi.

Non sans fierté, je lui montrai mes notes, qu'elle parcourut avec intérêt.

— Il faudrait vraiment que j'essaie de renouer le contact avec ta sœur allemande, murmura-t-elle, songeuse. Si ça se trouve, je suis déjà grand-mère. C'est même presque sûr. Après tout, elle a trente-sept ans.

— Pourquoi ne le fais-tu pas tout de suite ? lui demandai-je, impatiente. Tu pourrais lui envoyer une lettre ?

Plutôt que de répondre, elle s'empara de mon stylo et se mit à noircir une page, puis une autre, et une troisième... Soudain, elle s'interrompit.

— Mon Dieu, mais je n'ai pas son adresse...

Stupéfaite, je compris que cela faisait des années qu'elle n'avait plus de rapports avec sa fille. Balayant l'objection d'un revers de la main, Amara, qui nous avait rejointes, s'engagea à retrouver les coordonnées de Magdalena.

— Je connais beaucoup d'Allemands, ça ne devrait pas poser trop de problèmes, estima-t-elle.

Nous discutâmes encore quelques minutes, puis ma mère et son amie se retirèrent pour évoquer mon accouchement. Lorsqu'elles revinrent, la guérisseuse me fit part de leur décision :

— Lisa et moi estimons que tu ferais mieux d'aller à l'hôpital.

— Et si Felix me retrouve ?

— Mais non, que veux-tu qu'il aille y faire ? Écoute, j'ai une cliente qui est médecin à l'hôpital universitaire et qui habite non loin d'ici. Certaines de mes filles sont employées à son domicile. Elle est bardée de diplômes, tu sais !

Personnalité reconnue dans la ville, Amara n'était pas peu fière de ses relations. Dans le cas présent, il était vraisemblable que celles-ci permettraient de réduire le montant de ma prise en charge. Depuis que Felix, lors d'une incursion dans ses appartements, lui avait confisqué ses dernières économies, ma mère, qui avait par ailleurs investi la quasi-totalité de sa fortune dans la ferme, ne possédait en effet plus un centime. Aussi était-ce mon hôtesse qui allait devoir assumer l'ensemble des frais. Avec le recul, je lui en suis bien entendu très reconnaissante, mais je dois avouer qu'à l'époque, encore marquée par le douloureux souvenir de ma première hospitalisation, j'étais prête à tout pour échapper à cette nouvelle épreuve.

— Amara, s'il te plaît, tu as déjà mis de nombreux bébés au monde, l'implorai-je. Pourquoi ne le fais-tu pas toi-même ?

La guérisseuse m'expliqua que la déformation de mon bassin laissait présager quelque difficulté et qu'elle ne savait ni ne pouvait pratiquer d'actes chirurgicaux tels qu'une césarienne. Si mon bébé ne sortait pas de lui-même, le risque de le perdre était trop élevé.

Au bout d'un moment, ma mère s'apprêta à prendre congé.

— Es-tu vraiment obligée de retourner au harem? lui demandai-je. Et si tu restais ici avec moi?

— Je le lui ai déjà proposé, intervint la guérisseuse en haussant les épaules d'un air résigné.

— Non, il faut que je rentre, répondit ma mère. Lorsque tu auras accouché, je me débrouillerai pour vous rendre une nouvelle visite.

— Mais qu'est-ce qui te retient là-bas, maintenant que papa est parti?

— C'est difficile à expliquer. Disons que je m'y sens chez moi et que les autres ont besoin de ma présence. Si je disparaissais, je leur briserais le cœur. Bisi a déjà eu tant de mal à se remettre de ton départ. Elle a fini par comprendre que c'était le prix à payer, mais je ne peux pas la laisser tomber à mon tour. Pardonne-moi, je t'en prie. Un jour, nous nous retrouverons toutes ensemble, avec toi et ton enfant. Je te le promets.

— À propos, qu'en est-il de la ferme?

— Personne ne veut plus s'y installer. Les gens prétendent qu'elle porte malheur. Quant à Felix, il s'en désintéresse sous prétexte qu'elle est trop reculée.

— À mon avis, il a juste peur de retourner sur le lieu de son crime.

— Je vais tenter de la récupérer, ma chérie. Seraistu disposée à retourner y vivre malgré ce qui s'est passé?

— Oh oui ! Ce serait si bien que nous puissions être de nouveau réunies à Jeba !

J'avais toujours rêvé d'avoir une fille, un désir qui s'était d'ailleurs renforcé lorsque je m'étais occupée de Sue, ma petite sœur décédée prématurément. En outre, la relative sérénité que j'avais réussi à atteindre demeurait trop précaire pour que je me sente de taille à élever un « petit Felix ». Amara semblant de son côté persuadée que ce serait un garçon, je décidai de me faire une raison : l'avenir trancherait et, désormais, je l'abordais en toute confiance. Mais c'était sans compter avec la nouvelle péripétie qui m'attendait et qui allait, une fois encore, bouleverser mon existence...

Le jour de mon admission à la clinique, je fus accueillie par une femme d'origine indienne. Le visage grave, elle me fit entrer dans son cabinet.

— Madame Egbeme, commença-t-elle, les résultats de vos tests sont préoccupants. De plus, Amara m'a informée qu'un grand nombre de personnes de votre entourage étaient malades. Dans ces conditions, l'idéal serait de contacter votre mari pour le soumettre à une prise de sang, mais j'ai cru comprendre que c'était exclu.

Paniquée, je me contentai de secouer la tête. Si je voulais préserver ma tranquillité, il n'en était en effet pas question une seule seconde. Après avoir marqué une pause qui me parut interminable, le médecin reprit :

— Avez-vous déjà entendu parler du sida ?

En cette année 1995, comme je le sais aujourd'hui, tous les Occidentaux de mon âge connaissaient ce virus, à l'inverse des jeunes Africains pour qui les maladies sexuellement transmissibles restaient taboues. Si maman Uloma m'avait appris comment m'y prendre pour donner du plaisir à un homme, jamais elle n'avait abordé ce sujet-là dans le poulailler. Devant mon silence, le docteur entreprit de m'expliquer de quoi il retournait, m'informant par la même occasion que j'étais séropositive. Bien que l'écoutant avec attention, je parvenais à peine à comprendre ce qu'elle disait. Quoi qu'il en soit, ma propre santé ne m'intéressait guère. Tout ce qui me préoccupait, c'était de savoir quelles seraient les conséquences pour mon enfant. D'après mon interlocutrice, la césarienne, technique d'ores et déjà envisagée dans mon cas, constituait la meilleure solution, le bébé risquant moins d'être infecté de cette manière que lors d'un accouchement naturel. Si tout se passait bien, il faudrait alors éviter de lui donner le sein, ce qui permettrait peut-être de le préserver.

— Je sais que vous êtes très croyante, ajouta l'amie d'Amara en me raccompagnant jusqu'à la porte. Je vous conseille donc de prier Dieu afin qu'il vous vienne en aide. À présent, il ne nous reste plus qu'à attendre la naissance. Ensuite, nous aviserons.

Dans un premier temps, je fus si choquée que cela m'empêcha de réfléchir. Mais petit à petit, la terrible nouvelle fit son chemin dans mon esprit, et mon fragile équilibre s'effondra d'un coup. Le plus grave à mes yeux était le danger que cela représentait pour mon propre enfant. S'il n'était pas certain qu'il naîtrait avec la maladie, je risquais tout de même de le contaminer par la suite, notamment en l'allaitant.

Au harem, il était fort rare qu'une *queen* soit obligée d'avoir recours à une nourrice. Une « bonne » mère ne faisait pas ce genre de choses. Et pourtant c'était bien cela, une bonne mère, que je voulais être ! Ne serait-ce que parce que mon fils ou ma fille n'aurait pas de père…

Une fois que j'eus plus ou moins recouvré mes esprits, j'essayai de sérier les questions. Comment était-il possible que j'aie attrapé une maladie dont je ne connaissais même pas le nom ? Mis à part le lait maternel, on ne pouvait la contracter que par le sang ou les rapports sexuels. Mais avec la meilleure volonté du monde, je ne voyais pas quel sang avait bien pu entrer en contact avec le mien. Quant au sexe, l'unique homme avec qui j'aie eu des rapports était Felix. Dès lors, la conclusion tombait sous le sens : lui seul était susceptible de m'avoir transmis le virus du sida.

Mais alors, n'était-ce pas le harem dans son ensemble qui était en danger ? Sans parler des innombrables maîtresses de mon époux ? « Mon Dieu, songeai-je avec effroi, toutes ces femmes et ces enfants ! » En passant mes proches en revue, je me remémorai le fœtus d'Idu qui avait pourri dans son ventre, et puis papa David... Je faillis m'évanouir. Le mal mystérieux auquel il avait succombé à l'âge de cinquante-neuf ans était-il donc celui-là ?

Le médecin ne m'avait pas dit combien de temps je pouvais espérer survivre. Mais d'après ce que j'avais observé, les perspectives n'étaient pas brillantes... Depuis ce jour où mon père s'était effondré dans la maison commune jusqu'à sa mort, il s'était écoulé à peine quatre ans. Quatre ans ! Si je subissais le même sort, je ne verrais même pas mon enfant aller à l'école !

Cette nuit-là, je me réveillai en sursaut et me mis à hurler. En guise de réconfort, l'infirmière de garde se contenta de me faire une piqûre de calmants.

28
Mon fils

Le lendemain, j'accouchai sous anesthésie générale. Au réveil, mon premier réflexe fut de chercher mon bébé des yeux. Il n'était pas là, mais l'infirmière m'informa aussitôt que j'avais donné naissance à un garçon, précisant qu'il était très mignon et, surtout, en bonne santé. Néanmoins, il se trouvait encore en observation et je ne pouvais pas le voir pour l'instant. Mes suppliques n'y firent rien.

Vingt-quatre heures plus tard, à ma grande joie, je reçus la visite d'Amara et de ma mère. Compte tenu de mon état d'excitation et du stress accumulé au cours des derniers jours, je ne pris même pas la peine de demander des nouvelles du harem. Au lieu de cela, je me libérai de tout ce que j'avais sur le cœur, évoquant le sida et mes conclusions concernant papa David.

— Ton père est mort d'une pneumonie, rétorqua ma mère. D'ailleurs, aucune de ses épouses n'est malade.

— Et qu'en est-il des femmes de Felix ?

Elle me confia qu'une des trois *queens* avec lesquelles j'étais revenue de Jeba avait mis un enfant au monde qui était décédé au bout de quelques semaines dans des circonstances indéterminées. Il pouvait donc s'agir de la même maladie. Ou d'autre chose...

— Tu sais, ma fille, notre existence à tous repose entre les mains de Dieu, ajouta-t-elle. C'est lui qui décide de notre sort.

Comme chaque fois que nous avions le sentiment d'être impuissants, nous nous en remîmes au Seigneur afin qu'il veille sur mon fils. Je fermai les yeux et tentai de me concentrer sur cet être que je n'avais certes toujours pas vu, mais auquel je me sentais déjà intimement liée.

Pour prolonger notre prière, ma mère me suggéra de l'appeler Joshua – « Dieu aide ». J'acceptai avec enthousiasme. Puis, je l'implorai d'aller me le chercher. Bien que cela fût interdit, elle n'hésita pas une seconde et, peu de temps après, je la vis revenir, un nourrisson endormi dans les bras.

— Regarde qui voilà, déclara Amara, rayonnante. Il est magnifique ! Je crois que je n'en ai jamais vu d'aussi beau. Ses traits sont si réguliers !

— Joshua... murmurai-je. Ta mamie t'a choisi un fort joli nom.

Depuis ce jour, je ne me suis jamais lassée de le prononcer. Pour moi, il évoque à la fois la joie de vivre, l'optimisme et la douceur.

Ainsi, Dieu avait voulu que j'aie un garçon. En contemplant sa peau claire, ses cheveux noirs très fournis et son petit corps fragile, tous mes regrets s'évanouirent. Même dans mes rêves les plus secrets, je n'aurais pu imaginer qu'il susciterait en moi de tels élans de tendresse. Il semblait en pleine forme et rien dans son apparence ne laissait présager quoi que ce soit d'anormal. Et pourtant, lui aussi était porteur du virus, les médecins me l'avaient confirmé. À cette pensée, mes yeux s'emplirent de larmes.

— Ne te tourmente pas, ma chérie, fit ma mère en me prenant dans ses bras. Tout ira bien, je te le promets.

Quoique les nouveau-nés fussent tous regroupés dans une vaste salle, je reconnus mon fils du premier coup d'œil. Allongé sur son lit à barreaux, il portait le gilet en coton rose et bleu que je lui avais confectionné moi-même. J'avais vraiment été bien inspirée de ne pas choisir entre ces deux couleurs !

En décrochant la chemise plastifiée qui contenait son dossier médical, je remarquai que celui-ci était barré d'une grande croix rouge. Au départ, je crus qu'il s'agissait du sigle de l'organisation du même nom, mais l'infirmière m'expliqua que cette marque servait à distinguer ceux qui étaient séropositifs et ne devaient pas être nourris au sein. Outre Joshua, ils étaient douze à porter ce même stigmate.

Des millions d'enfants naissent tous les ans au Nigeria, et la mortalité infantile y est extrêmement élevée. Si je n'avais pas accouché dans un hôpital de Lagos, mais à Jeba, par exemple, jamais je n'aurais appris que cette épée de Damoclès planait sur nos têtes. Le fait de le savoir, d'avoir conscience qu'une infection bénigne peut suffire à nous emporter, présente tout de même un avantage, puisqu'il nous fait apprécier chaque nouveau jour comme un don du ciel.

Une semaine après mon admission, nous pûmes rentrer chez la guérisseuse, où les filles nous accueillirent avec chaleur. Elles avaient interrompu leur travail et s'étaient rassemblées devant la maison. « Oh, il est adorable ! » s'écria l'une d'elles en prenant le visage de Joshua entre ses mains. « C'est vrai, et il ressemble tant à *sister* Mary ! » renchérit une autre. Malgré le plaisir que me procuraient ces compliments, j'étais un peu désorientée et ne savais trop comment réagir. Aussi Amara demanda-t-elle à ses pensionnaires de nous laisser tranquilles, avant de nous indiquer la chambre spacieuse où nous allions nous installer. Elle avait fait des réserves de lait et Joshua ne tarda pas à recevoir son biberon. En le voyant téter comme il en avait désormais l'habitude, je regrettai une fois de plus de ne pouvoir l'allaiter. Mais c'était mieux ainsi : il fallait à tout prix que je lui évite de courir des risques supplémentaires.

Les quatre premiers mois se déroulèrent sans encombres. Josh dormait beaucoup, pleurait à peine et Amara, qui avait en la matière bien plus d'expérience que moi, se félicitait de son évolution, estimant qu'il n'était « ni trop gros, ni trop maigre, ni trop grand, ni trop petit ». Lorsqu'il riait, de légères fossettes se creusaient aux commissures de ses lèvres, qui le faisaient ressembler à un ange. Peu à peu, mes craintes de le voir succomber à ce virus aussi foudroyant qu'imprévisible s'estompaient. Nous menions une vie normale et, après avoir connu les abîmes du désespoir, je commençais à aller mieux. De plus, je me sentais très bien dans ma nouvelle communauté. Tout le monde adorait mon fils et s'occupait de lui avec une touchante sollicitude.

Mais l'horizon ne tarda pas à s'obscurcir : du jour au lendemain, Joshua se mit à avoir la diarrhée. En l'auscultant, Amara constata qu'un champignon s'était attaqué à ses muqueuses buccales. Elle lui administra un remède à base de plantes qui eut certes un effet, mais n'élimina pas le symptôme. Bien qu'elle n'eût jamais eu affaire au sida, la guérisseuse comprit aussitôt que la terrible maladie s'était déclarée. Quant à moi, je persistai un temps à me voiler la face. Mon fils ne cessait de s'affaiblir. Il toussait et avait beaucoup de fièvre. Ayant diagnostiqué une pneumonie, nous l'emmenâmes à la clinique où il se vit prescrire les traitements les plus performants développés dans les pays industrialisés. Comme nous n'avions pas les moyens de continuer à payer ces soins fort onéreux, nous dûmes cependant, la mort dans l'âme, nous résoudre à abréger son séjour. À partir de ce moment, Amara décida de consacrer toute son énergie à la guérison de Josh, consultant d'autres guérisseuses et expérimentant sans cesse de nouveaux remèdes. Après d'interminables tâtonnements qui mirent nos nerfs à rude épreuve, elle parvint enfin à trouver le bon.

En dépit de cette rémission, mon fils exigeait une attention de tous les instants et, à chaque rechute, si brève fût-elle, son extrême maigreur nous faisait craindre le pire. Non content de me priver d'une vie paisible et harmonieuse, Felix avait détruit celle de mon fils, avant même qu'elle ne débute. Ma colère contre lui repartit de plus belle. Son unique circonstance atténuante était d'avoir ignoré sa propre séropositivité. Mais cela n'excusait en rien son érotomanie qui en avait constitué le terreau…

L'une de nos préoccupations majeures consistait à identifier les aliments que Joshua était capable de supporter, sachant qu'ils devaient par ailleurs lui apporter assez d'éléments nutritifs pour qu'il reprenne des forces. Outre Amara et moi-même, cette mission mobilisait l'ensemble des pensionnaires de la guérisseuse, lesquelles devinrent à leur tour de véritables expertes dans l'art de nourrir et de soigner un bébé sidéen. Mon fils ayant réussi à passer le cap fatidique des douze premiers mois, nous organisâmes une grande fête pour son anniversaire. Ce succès inespéré nous redonna du courage ; nous avions démontré qu'il était possible d'endiguer la progression du virus.

Dans mon pays, il n'est pas courant de lutter avec une telle détermination contre la maladie. D'après ce que me rapportait Amara, qui passait son temps à sillonner la ville, nombreux étaient les enfants qui mouraient, faute d'argent, bien sûr, mais aussi en raison du fatalisme ou de la résignation de leurs parents.

Pour ma part, la perspective de perdre Josh était et demeure inimaginable. À mes yeux, son destin et le mien sont liés de manière indissociable. J'ai la conviction qu'il doit se battre jusqu'au bout et qu'il est de mon devoir de tout faire pour l'y encourager. Sans doute le souvenir de ma sœur Sue, morte à l'âge de deux ans et demi, n'est-il pas étranger à cette résolution. À l'époque, j'étais impuissante et j'ai juré devant la Vierge blanche de ne plus jamais me retrouver dans cette situation. Même si je sais que Dieu nous protège, j'ai conscience que Josh a besoin de mon aide.

29
Une nouvelle voie

Le fait de m'être réfugiée chez Amara était-il juste un coup de chance, ou bien s'agissait-il d'un signe du destin ? C'est la question que j'en vins à me poser peu après l'anniversaire de Joshua, lorsque la guérisseuse me fit la proposition suivante : « Nous avons toutes les deux appris beaucoup de choses en nous confrontant à la maladie du petit. Quant à toi, cette expérience t'a littéralement transformée. On dirait que tu as trouvé ta voie. Veux-tu devenir mon élève ? Je t'enseignerai tout sur les plantes, les endroits où on les trouve, la façon de les récolter, de les préparer… »

Sans hésiter une seconde, je me précipitai dans ses bras, débordante de reconnaissance et d'admiration. Par le passé, j'avais éprouvé le même genre de sentiments pour maman Bisi et ce, bien que ses dons fussent plus modestes. En toute simplicité, Amara m'offrait l'opportunité de donner un sens à ma vie en la mettant au service des autres. Et puis j'avais pu constater que les méthodes de la guérisseuse étaient très bénéfiques pour la santé de mon fils. Si elle m'aidait à parachever mon apprentissage de la nature entamé à Jeba, je serais à mon tour en mesure de lui porter secours.

À partir du lendemain, nous partîmes ensemble chaque matin dans sa camionnette, à la recherche des essences qui allaient servir à la mise au point de nos remèdes. Ces périples nous épuisaient et, au bout d'une semaine, je lui suggérai de rationaliser notre travail :

— Pourquoi n'installerions-nous pas une plantation dans ton jardin ? Cela nous épargnerait tous ces efforts.

— Le problème, c'est que les herbes mettent du temps à pousser, objecta Amara.

Mais après réflexion, elle convint que le jeu en valait la chandelle. Sans tergiverser davantage, nous décidâmes de confier nos quelques poules, chèvres et cochons à un voisin, et d'abattre leurs refuges pour faire place nette.

Au cours de sa dernière visite, ma mère nous avait confié qu'Ada, Bisi et elle étaient désormais chargées de s'occuper des bébés du harem. Depuis quelque temps, certains d'entre eux souffraient des mêmes maux que Joshua, et les décès se multipliaient. Rares étaient ceux qui dépassaient un an.

— Quelle terrible ironie ! s'était-elle exclamée. Nous sommes protégés par de grands murs, des gardes, des barreaux aux fenêtres, et tout cela ne sert à rien. Grâce au ciel, ton père n'est plus là. Il ne l'aurait pas supporté.

— Crois-tu vraiment qu'il ait succombé à une pneumonie, maman ? Si ça se trouve, j'avais raison.

— Non, ma chérie. Ce n'est pas lui qui a introduit ce fléau parmi nous.

Je ne voulus pas la contredire. Elle avait déjà bien assez de soucis comme cela. Ne m'autorisant pas à analyser la vie sexuelle de papa David, je ne pouvais d'ailleurs m'expliquer comment il avait pu s'infecter. En tout état de cause, il était vain de remuer le passé.

— Il faudrait que nous puissions prodiguer nos soins à l'intérieur du harem, repris-je.

— Ce serait trop dangereux, rétorqua ma mère. Felix a certes abandonné l'idée de te retrouver, mais si jamais il découvre que nous sommes en contact, je ne réponds plus de rien.

— Lisa a raison, approuva Amara. À présent, tu dois penser à toi et à ton fils.

— Mais il ne s'agit pas de remettre les médicaments à Felix en mains propres ! Je considère juste que nous avons les moyens de les aider et que, par conséquent, nous devons le faire. Après tout, ces bébés sont innocents.

— Ah, ma fille, je te reconnais bien là, soupira ma mère.

— Tu peux parler ! N'est-ce pas toi qui as toujours fait passer le confort des autres avant le tien ?

— Tu sais, Lisa, intervint Amara, les murs de votre *compound* ne sont pas si hauts. Rien n'empêche mes filles d'envoyer chaque matin un ou deux colis pardessus bord.

— Et qui va vous payer ?

— Felix, pardi ! lança la guérisseuse avec un sourire entendu. La clé de mon succès est là, Lisa. D'abord j'investis, et puis je récolte les fruits. J'aime faire le bien, mais je m'arrange toujours pour que ce soit rentable. Je peux vous garantir que cet odieux personnage ne va pas tarder à accepter n'importe quelle aide, d'où qu'elle vienne. Et à n'importe quel prix...

Dans les mois qui suivirent, les cuisines d'Amara se transformèrent en véritable usine de production de médicaments. Toutes les pensionnaires de la maison furent mises à contribution et elles se vouèrent corps et âme à la tâche. L'emploi du temps de chacune était réglé comme du papier à musique. La journée débutait avant le lever du soleil par la cueillette des herbes et des plantes, qui étaient aussitôt mélangées, préparées et conditionnées. Puis, au petit matin, l'une des apprenties prenait le chemin du harem avec notre production du jour et la lançait devant la maison de ma mère. Celle-ci, postée sur l'escalier extérieur où j'avais tant joué étant enfant, observait la manœuvre et, de temps à autre, nous faisait parvenir des messages à l'aide d'un billet attaché à une pierre. Malgré tout, nous procédions avec la plus extrême prudence, la moindre indiscrétion risquant de mettre un terme définitif à notre entreprise.

Dans le voisinage d'Amara, l'efficacité de ses remèdes ne tarda pas à se savoir, et les nouveaux patients, parmi lesquels il y avait aussi des adultes, se bousculaient à sa porte. De mon côté, j'étais si absorbée par ma mission que j'en oubliais ma maladie. Enivrée par la joie de me rendre utile, j'avais l'impression d'en être revenue aux plus belles années de ma vie à la ferme.

Cette fois-ci cependant, j'étais quelque peu entravée dans mes mouvements. De peur de tomber sur Felix, je ne quittais jamais la propriété de la guérisseuse, supervisant l'activité du laboratoire, tout en gardant un œil sur Joshua. Lorsque mon entière concentration était requise, mes nouvelles *sisters*, qui nourrissaient pour lui une affection grandissante, le surveillaient à leur tour. D'une manière générale, elles le couvaient et le gâtaient énormément, ce qui ne manqua pas de me rappeler ma propre enfance. Mais je les laissais faire ; en matière de discipline, j'avoue ne pas être une très bonne mère. J'ai beau savoir que c'est indispensable, ma crainte de voir mon fils connaître une mort prématurée est trop forte.

L'intuition d'Amara se révéla fondée : l'épidémie prit une telle ampleur dans le harem que Felix ne put bientôt plus fermer les yeux. Mais pour lui aussi, les traitements mis au point en Occident étaient trop onéreux. Dès lors, ayant appris par l'une de ses *queens* que les bébés de la communauté étaient désormais soignés à l'aide de plantes, il ne se fit pas prier pour officialiser les livraisons d'Amara et la rémunérer en conséquence.

Un beau jour, la guérisseuse vint me trouver dans la cuisine et me prit à part.

— Tu passes tout ton temps à travailler, me dit-elle. Je n'ai même plus l'occasion de te former.

— Ne t'inquiète pas. Je progresse beaucoup ainsi.

— Mais il y a tant d'autres choses à connaître. Écoute, j'ai bien réfléchi : plus nos rapports avec le harem se développent, plus la situation devient risquée pour toi. Aussi, j'aimerais te faire une nouvelle proposition.

Elle me parla alors de ces vieilles sages qu'elle avait connues autrefois et qui s'étaient retirées à la campagne pour y transmettre leur savoir ancestral. Un nombre croissant de jeunes femmes allaient les rejoindre afin de s'initier aux interactions entre l'âme et l'au-delà, les vivants et les esprits. La formation durait trois ans, au cours desquels tout contact avec l'extérieur était proscrit.

— Et Joshua ? protestai-je. Il est hors de question que je l'abandonne !

— J'ai déjà abordé ce point. Je leur ai dit qu'il était malade et qu'il ne fallait pas vous séparer. Ce à quoi elles ont commencé par me répondre qu'aucun homme n'était autorisé à pénétrer dans leur retraite, avant de reconnaître, dans leur grande clairvoyance, qu'un petit garçon de deux ans ne présentait qu'un risque limité.

Amara ponctua sa phrase d'un sourire malicieux.

— Je vais y réfléchir, répondis-je, un peu perturbée par la soudaineté de cette perspective.

Une telle décision ne pouvait se prendre à la légère. D'un côté, c'était là pour moi une chance unique, d'autant plus qu'on me permettait de rester avec mon enfant. Mais de l'autre, cela impliquait que je quitte une fois encore, et pour une période prolongée, mon foyer d'accueil ainsi que les amies que je m'y étais faites. Et puis, que se passerait-il s'il arrivait quelque chose à ma mère ?

Je me trouvais vraiment confrontée à un cruel dilemme. Mais en fin de compte, ce fut la conscience de la mission que j'avais à remplir qui l'emporta. Mon devoir était d'aider mon prochain, d'assister des enfants dans leur lutte contre un terrible fléau. En approfondissant au maximum mes connaissances, je serais mieux à même de les sauver.

Peu de temps après, la guérisseuse nous conduisit, mon fils et moi, chez mes nouvelles préceptrices. J'y passai trois longues années, au cours desquelles j'appris certaines choses que j'ai prêté serment de ne pas dévoiler, et que je ne peux évoquer qu'auprès de deux catégories de personnes : les sages elles-mêmes et mes éventuelles futures élèves.

30
Le baiser de la mort

Pendant mon absence de Lagos, la situation sanitaire du harem se détériora de manière préoccupante. Au départ, seuls les enfants avaient développé la maladie. Mais peu à peu, ce fut au tour des *queens*. Dès que les premiers symptômes – éruptions cutanées, fièvre ou diarrhée – apparaissaient, Felix les mettait en quarantaine. Cela n'empêcha cependant pas la rumeur de se propager dans le quartier et, très vite, la peur de la contamination conduisit à l'isolement total de la famille. Dorénavant, mon mari, ses femmes et ses enfants vivaient retranchés entre leurs murs comme des parias.

« C'est affreux, me raconta Amara à mon retour. Tous ces regards éteints et ces visages hâves où l'on ne distingue plus une once d'espoir. À l'époque, ton père avait réussi à insuffler aux siens un courage inébranlable ; maintenant, on se croirait dans l'antichambre de l'enfer. » Ayant pour ma part vécu loin de cette misère, j'écoutais le récit de la guérisseuse avec effroi. Les plus âgées telles que Patty, Felicitas, Bisi, ma mère ou même Ada, pourtant endurcie par toutes les épreuves qu'elle avait subies, n'étaient pas loin de se laisser gagner par le découragement. Pour tenir bon, elles se réfugiaient dans le travail. Mais soigner des sidéens est un sacerdoce : à partir d'un certain stade, il faut s'en occuper vingt-quatre heures sur vingt-quatre... Au total, seules la solidarité et l'entraide permettaient à cette communauté meurtrie de ne pas s'effondrer tout à fait. Du moins dans un premier temps. Car ensuite, même les plus tenaces durent admettre que la fin était proche.

Quant à Felix, en phase terminale, il ne put bientôt plus quitter la chambre climatisée de papa David. Lorsqu'Amara me rapporta sa dernière entrevue avec lui, où il avait qualifié ses remèdes de « charlataneries », elle s'emporta comme si elle l'avait encore en face d'elle :

— Qu'est-ce qu'il s'imagine ? Que je peux faire des miracles ? Crois-moi, je ne me suis pas privée de lui dire ses quatre vérités ! Je lui ai demandé s'il se rendait compte qu'il avait transformé un havre de paix en cimetière, et qu'il avait ruiné l'existence de tous ceux qui avaient eu le malheur de croiser son chemin !

— Lui as-tu parlé de moi ? demandai-je. Est-il au courant qu'il a un garçon, et que c'est un enfant merveilleux ?

— Bien sûr que non. Il est hors de question qu'un individu de son espèce puisse se consoler en sachant qu'il laissera une trace positive. Il ne s'est jamais intéressé aux autres. Pourquoi lui aurais-je rendu ce service ?

— Tu as raison, il ne le mérite pas, dis-je en la prenant dans mes bras. Moi, je n'aurais sans doute pas pu m'empêcher de le faire. Je suis si heureuse que tant de malheurs aient fini par déboucher sur quelque chose de bien.

Amara n'avait pas jugé bon de donner des médicaments à Felix. D'après elle, il était condamné et, de fait, il mourut à peine une semaine plus tard. Les obsèques festives étant réservées à ceux que l'on se réjouit de revoir dans l'au-delà, les siennes se déroulèrent dans la plus parfaite discrétion. Il n'est pas impossible que son décès ait procuré du chagrin à certaines, mais la grande majorité des *queens*, bien qu'elles fussent désormais privées de chef, l'accueillirent comme une délivrance. De toute façon, dans les derniers temps de sa maladie, elles avaient déjà dû s'habituer à vivre sans homme. En vertu des règles en vigueur au sein du harem, c'était à présent au « tribunal » qu'il incombait de prendre les décisions engageant la collectivité. Celui-ci rassemblait trois femmes âgées de près de soixante-dix ans, maman Patty, maman Felicitas et ma mère, la plus indépendante étant bien entendu cette dernière, puisqu'elle avait dirigé seule la ferme de Jeba.

La famille se trouvait confrontée à de graves difficultés financières. Celles qui étaient encore valides fabriquaient des bijoux, de petits objets artisanaux et confectionnaient des vêtements qu'elles revendaient sur les marchés. Ce commerce rapportait certes de l'argent, mais pas assez pour nourrir une population aussi importante ni pour payer les traitements de tout le monde. Quant à ma mère, elle se tuait à la tâche ; elle avait mauvaise mine et semblait au bord de l'épuisement. Nous mîmes un certain temps à comprendre que, chez elle aussi, le sida s'était déclaré.

Convaincue qu'elle ne l'avait pas attrapé au hasard des soins qu'elle prodiguait aux autres, elle finit par admettre que c'était bien papa David qui le lui avait transmis. En réfléchissant à la chronologie des événements, le lien entre celui-ci et mon époux était patent : Idu avait dû contracter le virus à Ibadan, dont Felix et elle étaient originaires et où avaient été constatées les premières morts mystérieuses, avant de l'introduire à Lagos. D'ailleurs, mon père avait commencé à montrer des signes de faiblesse peu après le retour de la rebelle. Même si personne, à l'évidence, ne parviendra jamais à le prouver, je suis depuis lors persuadée que les choses se sont passées ainsi. Reste à savoir si c'est Idu qui a donné le baiser de la mort à Felix, ou l'inverse...

Dès qu'elle eut diagnostiqué la maladie de ma mère, Amara voulut la recueillir chez elle. Mais son amie refusa, arguant que Bisi et Ada s'occupaient d'elle à merveille. Malheureusement, l'expérience avait entre-temps montré que nos remèdes étaient d'autant plus efficaces que nous pouvions les administrer à un stade précoce. Dans le cas de ma mère, il était déjà trop tard, et ils ne purent qu'alléger quelque peu ses souffrances.

Malgré les efforts d'Amara pour me ménager, cette nouvelle fut pour moi un choc terrible. Comme toujours, ma première pensée alla à mon fils. Quelle serait sa réaction en apprenant que sa mamie souffrait du même mal que celui qui sommeillait dans son propre corps ? Sur les conseils de la guérisseuse, je décidai toutefois de le lui dire sans prendre de précautions particulières. Après tout, il était assez éveillé pour comprendre. Et il n'aurait pas supporté que je lui cache quoi que ce soit.

Je partis donc à sa recherche et le trouvai dans le jardin, en train d'inspecter les plantations. Notre séjour chez les vieilles sages avait fait de lui un véritable expert en la matière : à cinq ans, il savait déjà distinguer les essences permettant de lutter contre les différentes infections.

— Regarde ! s'écria-t-il. Ce sont les mêmes que chez les mémés !

C'était ainsi qu'il appelait mes anciennes préceptrices.

— Tu sais, mon chéri, ta grand-mère aussi a le sida.

— Ah bon ? Alors je vais lui apporter ces feuilles, rétorqua-t-il d'un air décidé, ce qui suffit à clore le chapitre.

Un après-midi, Amara proposa de nous emmener, Josh et moi, au harem, un lieu dont les portes lui étaient désormais grandes ouvertes. Bien que je n'eusse plus rien à craindre de mon mari, je ne pus m'empêcher, pendant tout le trajet, d'avoir la gorge nouée.

Trop faible pour utiliser les escaliers, ma mère s'était retirée au rez-de-chaussée, dans les appartements de Bisi. En entrant, nous la trouvâmes allongée sur le lit, vêtue de sa robe de cérémonie. Elle s'était faite belle en l'honneur de son petit-fils. Une fois encore, j'admirai son courage : malgré son état critique, elle ne cessait de raconter des anecdotes et de plaisanter, tout en câlinant Josh. Attendries, la guérisseuse et moi contemplions ce spectacle en silence. Soudain, le petit se tourna vers sa grand-mère et lui dit :

— Tiens, mamie, je t'ai apporté ça pour ta gorge. Tu as bobo, aussi, quand tu avales ?

Elle acquiesça et ils se lancèrent dans une conversation d'initiés sur les différents symptômes de la maladie. Comme s'il s'agissait d'un jeu d'éveil…

L'après-midi, mon fils alla faire la sieste à l'étage, dans la chambre de ma mère. En l'accompagnant, je fus étonnée de constater que cette pièce où j'avais passé une bonne partie de mon enfance n'avait pas changé. Sur la commode, il y avait une lettre. Lorsque je vis l'adresse inscrite au dos de l'enveloppe décachetée, j'eus un coup au cœur : l'expéditeur n'était autre que Magdalena. Je pris une profonde inspiration et me mis à lire :

Ma chère maman,

Cela faisait longtemps que je voulais t'écrire. Mais le courage me manquait. Nous étions devenues si étrangères l'une à l'autre, et j'ai eu du mal à surmonter cela. Je te remercie pour les nombreux courriers que tu m'as envoyés pendant toutes ces années. Il faut cependant que tu saches que je n'ai jamais reçu ceux que tu as fait parvenir à mon internat ou chez l'oncle Xaver.

Ton frère est décédé il y a deux ans. Quant à tante Johanna, elle vient de mourir à son tour. J'ai retrouvé tes lettres par hasard, à leur domicile. Je leur en veux beaucoup d'avoir ainsi rompu le contact entre nous. Si j'ai bien compris, tu ne m'as jamais oubliée et tu n'as jamais cessé de m'aimer. Crois-tu qu'il soit possible de réparer l'injustice dont nous avons été victimes ? Pourrons-nous un jour rattraper tout ce temps perdu ?

Après mûre réflexion, j'ai décidé de me rendre dès que possible au Nigeria. Si tu le souhaites, je pourrai venir fêter Pâques avec toi.

Ta fille Magdalena qui t'aime.

P.-S. : ci-joint une photo de moi et de ma fille Katharina.

J'emportai la missive et dévalai les marches quatre à quatre. Allongée aux côtés de son amie de toujours, Bisi avait pris sa main dans la sienne. On aurait dit un couple qui a parcouru un long chemin ensemble.

Craignant de troubler leur intimité, je fis mine de me retirer sur la pointe des pieds.

— Reste, Choga, murmura ma mère. Ah, je vois que tu l'as trouvée...

— C'est formidable, maman ! m'exclamai-je en m'agenouillant près du lit. Pâques va arriver vite. Tu lui as répondu, j'espère.

— Au départ, elle a refusé, intervint Bisi. Elle ne voulait pas que Magdalena la voie comme ça. Mais je l'ai harcelée, jusqu'à ce qu'elle cède.

— En définitive, je suis très contente de l'avoir fait. Non pas pour moi, mais pour Joshua, ta sœur et toi. Au fait, Bisi, où sont les papiers ?

La vieille femme passa la main sous le lit et tendit un dossier à ma mère. Celle-ci l'ouvrit et me désigna les documents qu'il contenait.

— Tiens, c'est le titre de propriété de la ferme. Elle est à toi, à présent. Je vous souhaite d'y être très heureux.

Pendant une fraction de seconde, l'effet de surprise me paralysa. Puis je me jetai dans ses bras.

— Tu n'as pas idée du bonheur qui nous attend, bredouillai-je, submergée par l'émotion. Dès que tu iras mieux, nous partirons tous ensemble à Jeba. Toi, maman Bisi, Josh et moi. Comme ça, nous pourrons recevoir Magdalena dans notre paradis.

— Il y a peu de chances que ce soit encore un paradis, ma chérie. Cinq ans, c'est long. J'ai bien peur que vous deviez recommencer de zéro.

— L'essentiel, c'est que nous l'ayons récupéré !

— Tu sais, il ne faut pas compter sur moi. Je suis à bout de forces.

— Mais non, tu vas y arriver.

Pour tenter de l'en convaincre, j'entrepris d'énumérer les différentes techniques de soins que j'avais apprises au cours de ma formation.

— Tu es vraiment devenue quelqu'un, Choga Regina, m'interrompit ma mère. Je suis fière de toi.

— Moi aussi, renchérit Bisi. L'avenir t'appartient, ma petite. À Jeba, il n'y a guère qu'une malheureuse guérisseuse dénuée du moindre talent. Tu auras tant de clients que tu ne sauras pas où donner de la tête. Quant à toi, Lisa, tu vas te remettre plus vite que tu ne le penses. Ce n'est pas le moment d'abandonner.

— Tu es un amour, ma chère Bisi. Alors soit, je guérirai. Mais pour l'instant, j'aimerais bien dormir un peu.

Ce furent ses dernières paroles. Le soir même, sa température monta en flèche. Aussitôt, nous la conduisîmes à l'hôpital. Mais personne ne pouvait rien pour elle. Ses organes vitaux étaient atteints. Incapable de communiquer avec le monde extérieur, elle retourna dans le *compound* pour y décéder deux jours plus tard. C'était le jeudi saint.

« Vingt-quatre heures après, tu atterrissais à Lagos », conclus-je en me tournant de nouveau vers Magdalena. Le soleil venait d'entamer son ascension ; toute la nuit, ma sœur était restée suspendue à mes lèvres.

— Quand partons-nous ? me demanda-t-elle à mi-voix. Aujourd'hui ?

— Oui, il est temps que ma mère retrouve son paradis.

— Notre mère, Choga, notre mère...

Soudain, j'entendis frapper timidement à la porte et vis apparaître la chevelure bouclée de Joshua.

— Maman ? Vous êtes réveillées ? Mamie Bisi m'a dit que vous dormiez encore et que je ne devais pas vous déranger. Mais elle est déjà en train de faire ses valises. Alors je me suis dit que ce serait bien de vous prévenir.

Il s'avança dans la pièce et inspecta Magdalena de la tête aux pieds.

— Moi c'est Josh. Tu es ma tante allemande, c'est ça ?

— Bonjour, Josh. Ça te fait plaisir d'aller vivre à la campagne ?

— Oh oui, c'est génial ! Au fait, maman t'a dit que nous aurions un chien ? Un chien rien qu'à nous. Et je sais même déjà comment je vais l'appeler. Tu veux deviner ?

— Attends, laisse-moi réfléchir… Corn, peut-être ?

— Bravo ! Mais comment tu le savais ?

Épilogue

Lorsque je me promène aujourd'hui sur nos terres, j'y vois partout l'empreinte de ma mère. Au détour de chaque chemin, dans chaque champ, derrière chaque buisson. Sans elle, rien de tout cela n'aurait vu le jour. Grâce à son exemple, je sais que l'on ne doit pas vivre pour soi mais pour les autres. Même lorsqu'on est atteint d'une grave maladie. J'aimerais que Joshua, à son tour, fasse sien ce précepte, et je prie pour que le virus ne l'emporte pas trop tôt.

Plusieurs femmes de l'ancien harem de Lagos, dont les enfants aussi ont le sida, nous ont accompagnés. Quelque temps après, deux jeunes filles des environs nous ont rejoints, après que le fléau eut emporté leurs parents. Nous les avons accueillies à bras ouverts.

Pour l'heure, la seule chose qui nous manque, c'est un professeur. Mais nous attendons l'arrivée de Magdalena, qui s'est mise en congé de sa carrière d'enseignante en Allemagne. Qui sait, peut-être restera-t-elle un certain temps parmi nous. Ou bien pour toujours... L'avenir réserve tant de surprises. Mais l'essentiel, c'est que nous soyons en vie.

Table

Cet ouvrage a été composé
par Atlant' Communication
aux Sables d'Olonne (Vendée)

Impression réalisée sur CAMERON par

BRODARD & TAUPIN

GROUPE CPI

La Flèche (Sarthe)
en mai 2003
pour le compte des Éditions de l'Archipel
département éditorial
de la S.A.R.L. Écriture-Communication

Imprimé en France
N° d'édition : 572 – N° d'impression : 18343
Dépôt légal : mai 2003

Middle Ages certain texts were incorrectly attributed to him, notably the *Book of Four Virtues (De Formula Honestae Vitae),* Christine's principal inspiration in writing *The Book of Prudence (Le Livre de Prudence).* Seneca's moral philosophy, based on Stoic doctrine, was especially popular in medieval times. Numerous epigrams were quoted from his writings or attributed to him in such collections as *The Sayings of the Philosophers (Les Dits des Philosophes),* translated from the Latin by Christine's contemporary, Guillaume de Tignonville. The popular medieval handbook for preachers known as the *Manipulus Florum* quoted Seneca extensively, especially in the section entitled "Labor," and that work probably served as the source of Christine's Senecan epigrams.

Service of love (Courtly Love)—Already an anachronism in Christine's time, love service was a component of the preciosity of courtly love, an "inborn suffering" of a man for a high-born, imperious woman who demanded a "service of love" from him as demonstration of devotion. Conversely, men promising service to young ladies expected sexual reward or social advancement. Courtly love was illicit and adulterous, thus secret and contrived by the necessary artifices of clandestine meetings, code names called *senjals,* fears of the jealous husband *(jelos),* and extravagant praises of a beloved more yearned-for than accessible. Inspiring to the most astonishing feats of prowess or poetry, it also could be devastating or deadly.

A magnificent and powerful literary conceit, courtly love derived theoretically from Andreas Capellanus' twelfth century *Art of Courtly Love;* it infused the poetry of the troubadours, trouveres, and minnesingers, as well as romancers such as Chretien de Troyes, and the modern understandings of the passions of Lancelot and Guinevere, of Tristan and Isolde.

Seven Deadly Sins—Pride, Covetousness, Lust, Envy, Gluttony, Anger, and Sloth.

Seven Virtues—Faith, Hope, and Charity (the Theological Virtues), plus Justice, Prudence, Temperance, and Fortitude (the Cardinal Virtues).

She who accepts a gift sells herself—This was a common proverb. [See Hassell, *Middle French Proverbs,* F33, p. 109.]

Sheep—Christine's knowledge of sheep-raising undoubtedly is based on Jean de Brie's *Le Bon Berger (The Good Shepherd),* which, like other agricultural texts, was translated from Latin at the request of Charles V.

Slanderers—*The Chronicle of Saint Denis* reports that in August 1405 several of Queen Isabeau de Bavière's ladies-in-waiting were dismissed or put in prison "because of slander." The queen absolutely refused to allow an investigation of the charges, despite a request for one by some of the accused women. [B. Bellaguet, ed., Vol. III, p. 290; also see M. Laigle, *Le Livre des Trois Vertus* p. 21n.]

Solomon's praise for the wise woman—Proverbs 31:10–31.

A sou—Formerly, French copper coins of small value.

Spices—Used as digestives, spices were served at feast's end in candied form, such as crystallized ginger, or, when flaked or powdered, strewn upon desserts or dried fruit, such as figs dipped in fennel and dill. Believed to help the body digest the complete meal, spices were determined by the menu, specific ones being considered appropriate for particular fish, flesh, fowl, and vegetables.

Grown locally or imported from the East, spices also served as badges of luxury and ostentation, as seasonings and preservatives for foods, as medical-nutritional substances, as important commercial products, and as ingredients in cosmetics and perfumes. [See Madeleine Pelner Cosman's "Herbs," "Pharmacopoeia," "Cookery," and "Feasting" in the Scribner *Dictionary of the Middle Ages* (New York, 1982–7).]

Stories of the saints—The powerful force of example was considered a constant in the teaching of the young, as Christine emphasizes throughout her writings. The saints were the heroines and heros of the Christian church. A popular book about saints' lives, Jacobus de Voragine's *Golden Legend,* was expanded in 1402, and various copies of it were made in Paris shortly thereafter. However, Christine's own source for the saints' lives included in *The Book of the City of Ladies* [see translation by E.J. Richards, New York, 1982] apparently was Vincent of Beauvais' *Speculum Historiale*.

Suggestive Clothing—Ordinances forbade prostitutes to wear certain articles of bourgeois clothing and insisted that they wear a distinguishing mark on their right arm.

Tithe—The Church expected one tenth of the annual production of the land, offered by the faithful in money, produce, or labor.

Titus (39–81 A.D.)—Son of the Roman emperor Vespasian, for whom he captured Jerusalem in 70 A.D. In the wake of this triumph he was promoted to virtual partnership in his father's government, and succeeded him in 79. His wealth permitted him to gain a reputation for great generosity, which, had he reigned longer than two years, probably would have caused a financial crisis. Titus was also noted for outstanding clemency, even toward his enemies.

The treasure hidden in the field—Matthew 13:44.

Trust in princes—Psalm 146:3.

Tunics—Favored by the style of the times, tunics were worn over another garment; sometimes they were made without sides. Also in fashion were gowns cut in circular form with skirts so long that they had to be gathered up in front and held in the hand for walking; trains extended behind.

Valerius Maximus (c. 49 B.C.–30 A.D.)—Wrote a nine volume compendium of "memorable deeds and sayings" that was popular for centuries as a resource for authors and orators. His Roman history had been translated in part for Charles V by Simon de Hesdin, and was finished in 1401 by Nicholas de Gonesse under the patronage of the notable bibliophile, the Duke of Berry. [For the passage cited by Christine, see Paris, B.N. Ms. fr. 282, fol. 2.]

Vespers—Evening prayer, the second of the two principal Divine Offices to be read or recited every day by clergy and laity of the Catholic Church. An important feature is the recitation or singing of the Magnificat.

Vineyard Workers—Matthew 20:1–16.

Walled cities—Communities which developed as the result of the growing independence of a middle class. Castles of the nobility might be found either within these cities or in the country. Like the castles, the cities were protected by elaborate fortifications. Manors depended on castles for protection, and in return supplied necessary commodities; a large castle might command a number of manors.

Widows, advice to—Much of Christine's advice is based on her own experience, which she describes in *The Mutacion de Fortune* and *L'Avision-Christine.* For some years after the death of her husband, she was plagued by lawsuits over property she had inherited and arising out of her efforts to collect money due her husband. *La Mutacion de Fortune.* Ed. Solente, Vol. I, pp. 46–53; *L'Avision-Christine,* ed. Towner, pp. 154–155.] It apparently was all too common for greedy acquaintances, lawyers, magistrates, and court officials to try to take advantage of widows.

Woe unto the Kingdom—Ecclesiastes 10:16.

Women attendants—In spite of her shortcomings, Isabeau de Bavière was conscientious about those chosen to take care of the royal children. Marguerite was put under the charge of three very respectable ladies, including Catherine de Villiers, Lady of Quesnoy, whose fidelity was noteworthy. In addition, there were five ladies-in-waiting and a serving maid, Marion—nine attendants in all. [See Rey, *Les Finances sous Charles VI,* p. 191.]

Women of the court—Since the court of a princess or noblewoman was an important means of preparing a young girl for a life in courtly society, and might provide the way to a suitable marriage, young women were frequently sent to grow up at the court of a kinswoman. Such courts also were frequented by the daughters of lesser (though ambitious) noblemen, and sometimes the daughters of high-ranking court officials who were not necessarily of noble rank. Inevitably, courts were the scene of a certain amount of competition. Charm and ambition played a role in social advancement, to the chagrin of less attractive and less fortunate members of a court.

Margaret of Guyenne was cast aside by her husband during his infatuation with one of his mother's ladies-in-waiting, the daughter of Guillaume Cassinelle, who was one of the king's counsellors and not of the nobility.

Xerxes—Reigned as Emperor of Persia from 486–465 B.C. Cooperating with Carthage, he fought against the Greeks. Initially successful, he was subsequently forced into retreat when Themistocles and the Greek fleet won a great victory at Salamis. Xerxes' rule was characterized by violence and intolerance; his court was weakened by intrigues, one of which resulted in his murder.